KB103349

이야기 끓여 드실래요?

이야기 끓여 드실래요?

지은이 박미향

발 행 2024년 05월 29일

펴낸이 한건희

펴낸곳 주식회사 부크크

출판사등록 2014.07.15.(제2014-16호)

주 소 서울특별시 금천구 가산디지털1로 119 SK트윈타워 A동 305호

전 화 1670-8316

이메일 info@bookk.co.kr

ISBN 979-11-410-8710-4

www.bookk.co.kr

이야기 끓여 드실래요?

CBS 시사팩토리, TBN 라디오

KBS TV 방송

BY 박미향

prologue

요즈음 주제가 있는 카페가 전국적으로 많이 생기고 있다. 그중에는 그 지역을 대표하는 명소도 많다. 책을 주제로 하는 북 카페가 있는가 하면, 음악을 컨셉으로 하는 카페도 있으며, 그림이나 도자기 또는 소품을 주제로 하는 카페도 있다. 다양한 컨셉으로 카페를 운영하는 곳이 전국적으로 많다. 그처럼 울산에도 '이야기 끓이는 주전자'가 있다. 인문학 커뮤니티를 통해 소통하는 공간이다.
'이야기 끓이는 주전자'라는 이름이 특이하다거나, 참 좋다는 말을 많이 듣는다. 개인적으로도 상상력을 자극하고 상상의 확장성이 큰 이름이라 생각한다. 그렇기에 이 이름을 소재로 시를 쓰기도 했다. 특히 한 동화작가는 이 이름으로 동화도 쓰고 있다.

예전에 공지영의 '지리산 행복학교'란 책을 읽은 적이 있다. 이원규 시인과 고알피엠 여사와 그들의 이웃이 펼치는 이야기를 공지영의 문체로 쓴 책이었는데 소소한 이야기를 무척 재미있게 읽었다.

'이야기 끓이는 주전자'에서도 재미난 많은 이야기가 다양하게 끓고 있다. 처음에 '이야기 끓이는 주전자' 카페를 시작할 때, 독서, 글쓰기, 미술 등 인문학 커뮤니티를 형성하여 울산의 인문학 사랑방을 만들 계획이었다. 그리고 마을기업에 선정되기도 했다. 그런데 예기치 못한 코로나 상황으로 하여 그런 뜻을 펼치는 데는 한계가 있었다. 그럼에도 불구하고 재미난 많은 일이 있었다.

대표적인 프로그램인 '나는 작가다'를 통해 일반인이 30권이 넘는 책을 출판사와 계약하여 기획 출간에 성공했다. 그리고 글쓰기와 시 읽기, 미학, 철학아카데미, 와인 아카데미, 북마켓 등 많은 프로그램을 통해 많은 사람이 서로 소통하며 인문학을 함께 누렸다. 만약 코로나 상황이 없었다면, 더 많은 활동이 '이야기 끓이는 주전자'를 통해 진행되었을 것이다. 그러다 코로나 상황이 끝났다. 사람 모이는 것이 자유롭기에 본격적으로 이야기를 끓이게 될 것으로 예상한다.

이 책은 PART1에는 CBS와 TBN 라디오 방송에 책 소개를 한 내용이 들어있다. 1년 동안 2주에 한 번씩 라디오를 통해 책 소개를 하였다. 주변으로부터 반응이 좋았고 책으로 엮으면 어떻겠느냐는 말을 많이 들었다. 그런 말들이 이 책을 엮은 계기가 되었다. PART2에서는 나의 독서법과 책을 읽으면서 한 사색을 실었다. 필자는 어떻게 책을 읽으며, 독서를 하면서 얻은 것이 무엇인지를 살펴볼 수 있을 것이다. 그리고 PART3에서는 현재 필자가 하는 인문학 카페 '이야기 끓이는 주전자'에 대한 내용으로 엮었다. 필자의 인문학적 삶을 볼 수 있을 것이다.

이 책을 읽음으로써 독자가 책에 좀 더 가까이 다가가는 계기가 되었으면 하는 바람이다. 물질적인 삶보다는 인문학적인 삶이 얼마나 가치 있는 삶인가를 느끼는 계기가 되었으면 하는 바람이다.

CONTENTS

prologue

PART1. 시사팩토리, 책을 말한다

-CBS 라디오/TBN

PART2. 읽고, 생각하고, 창작하는 박미향 독서법

PAFR3. 재미있는 이야기 끓이는 주전자의 일상

마치는 글

PART1. 시사팩토리, 책을 말한다

두 번째 지구는 없다-타일러 러쉬

아나〉 안녕하세요, 시사팩토리 100.3 김유리입니다. 오늘 책을 소개해 주실 분을 모셨습니다. 인문학 아카데미 이야기 끓이는 주전자의 박미향 대표님, 안녕하세요?

박미향〉 안녕하세요. 처음 인사드립니다. 인문학 아카데미 이야기 끓이는 주전자 박미향입니다.

아나〉 반갑습니다. 대표님. 오늘 소개해주실 책은 어떤 책인가요?

박미향〉 네, 사회적 거리 두기가 시행되었지만, 우리 사회는 아직 많은 부분이 경직된 모습입니다. 저희 인문학 아카데미 또한 교육업이다 보니 비대면 시스템을 구축하고, 사업 시스템을 재정비해야 하는 수고로움이 있었는데요. 이런 개인적이고 경제적인 차원이 아닌 보다 근본적인 질문을 던지는 책이 있어, 소개해 드릴까 합니다. 바로 타일러 라쉬의 '두 번째 지구는 없다'라는 책입니다.
아나〉 타일러 라쉬 하면 우리가 알고 있는 그 타일러 씨 맞나요? 작가를 소개해주시겠어요?

박미향〉 네 맞습니다. 작가 타일러 라쉬는 미국 출신 방송인으로 JTBC 〈비정상회담〉이라는 프로그램을 통해 8개 국어나 구사하는 언어 천재, 뇌섹남으로 대중들에게 각인이 된 방송인입니다. 이후 〈문제적 남자〉, 〈내 친구의 집은 어디인가〉 등에 출연하며 방송인으로 입지를 다지고 있습니다. 어린 시절부터 환경에 관심이 많아 현재는 세계자연기금 WWF의 홍보대사로 활동하고 있습니다.

아나〉 네, 그렇군요. 그런데 환경과 관련된 책은 많잖아요. 그중에서 이 책을 선정한 이유는 무엇일까요?

박미향〉 이 책을 통해 인문학으로 생각을 바꾸고 결국엔 세상에 선한 영향을 미칠 수 있다는 것을 알리고 싶어서 선정했어요. 작가는 이 책의 서두에서
"내 꿈은 기후 위기를 해결하는 것이다"
라고 말하면서 개인이 환경문제를 심각하게 바라보고 지구를 위한 행동을 실천해야 한다고 말하고 있어요. 특히 기후 위기 중에서도 기온 상승의 심각한 결과를 얘기하고 있는데 기온이 상승하면 지구에 해수면 상승, 태풍 피해, 새로운 전염병 등이 가속화되어 결국 우리의 삶을 파괴한다고 합니다. 그러면서 우리의 육식 문화, 자동차, 플라스틱 사용 등 인간의 행동이 기온을 높이는 주된 원인이라고 얘기하고 있어요.

사실 우리도 이런 얘기를 신문이나 책에서 많이 접하기 때문에 어느 정도는 알고 있습니다. 하지만 내가 환경문제를 해결하기 위해 행동하지 않는다고 해서 지금 당장 엄청난 피해가 생기지 않기 때문에 크게

신경 쓰지 않습니다.
하지만 [두 번째 지구는 없다]라는 환경에 대한 인문학책을 읽는다면 환경문제를 지구적인 차원에서 생각할 수 있게 되고, 장기적으로 내 삶과 우리 후손의 삶이 위협받는다는 것을 알게 되고 기온을 낮추기 위한 작은 행동부터 실천해 나갈 수 있다고 생각해요.
작가부터 환경보호를 위한 실천을 하고 있는데 이 책도 친환경 콩기름 잉크를 사용해 인쇄하였고, FSC 인증 종이를 사용했다고 책 앞부분에 안내되어 있어요. 제작비가 더 들고 번거롭더라도, 환경에 부담을 덜 주고자 하는 저자의 의도가 반영된 것이라고 볼 수 있습니다.

아나〉 책 내용도 간단하게 설명해주시죠.

박미향〉 이 책은 방송인 타일러 씨의 개인적인 이야기를 바탕으로 환경에 대한 경험과 지속 가능한 지구를 위해 개인이 할 수 있는 것에 관한 이야기를 풀어놓았어요. 흔히 코로나를 인재(人災)라고 하잖아요. 그렇다면 누가 발생시킨 인재인지 알아야 하는데, 불편하게도 그게 바로 우리 모두라는 사실이라는 것을 이 책은 말해주고 있어요.

기온의 상승으로 인해 새로운 박테리아와 바이러스가 퍼진다고 합니다. 저도 처음에는 기온이 높아지는 거랑 전염병이 무슨 상관이지 싶었어요. 앞에서 우리의 육식 문화, 자동차, 플라스틱 사용이 기온을 높인다고 했는데, 이 모두가 이산화탄소와 메탄을 많이 배출하게 합니다. 고기를 먹으려면 가축을 많이 길러야 하는데 가축에서 나오는 메탄이 어마어마하다고 합니다. 그리고 이산화탄소와 메탄이 공기 중에 많아지면 온난화 효과를 일으켜 기온이 상승하게 되는 거죠.
 기온이 상승하면 영구동토층이 녹게 되면서 그 안에 있던 박테리아가 노출됩니다. 또한 이 박테리아가 멈춰있던 동식물의 사체를 부패시키고 사체 안에 동결되었던 수백 년, 수천 년 전의 박테리아와 바이러스가 밖으로 나오게 해 또 다른 전염병을 불러올 수 있다고 해요.
결국 우리의 행동이 코로나 사태를 초래했을 수도 있다는 거죠.

그리고 인상 깊었던 부분은 한국인이 환경문제를 바라보는 관점을 외국인의 입장에서 쓴 부분이에요. 저자가 환경에 대해 강연을 하러 가면 우리나라 사람들의 반응이 대게 '우리나라는 책임이 없어', '기후나 환경문제를 해결하기엔 우리나라는 너무 작아'라는 말을 많이 듣는다고 해요. 환경에 대해 잘 알지 못하고 회피하기만 하려는 생각이 들어 한국 사람으로서 무척 찔리더군요. 저 또한 그렇게 하지 않았나 돌아보는 계기가 되었습니다.
사실 이 책은 환경문제를 다뤘다기보다는 오히려 '자연'이라는 키워드에 초점이 맞춰져 있어요. 저자가 살았던 곳은 미국 북동부에 있는 버몬트주라는 곳인데요. 낙농업이 발달한 목가적인 곳이라고 하네요. 그런데 의외로 저자인 타일러 씨는 어릴 때부터 동물 알레르기나 꽃가루 알레르기 등이 있어 동물을 가까이할 수 없었다고 하는데요, 그 결핍이 계기가 되어 동물과 자연을 사랑하게 되었고 관련된 활동을 하는 원동력이 되었다고 합니다.

아나〉 네, 그렇군요.

박미향〉 현재 타일러 씨는 WWF라는 세계자연기금 홍보대사로 기부까지 하면서 활동하고 있으며, 환경에 관한 강의도 많이 합니다. 실제로 다방면으로 목소리를 내고 있으며 일상생활에서도 고체 비누 쓰기, 옷 사지 않기 등 개인적인 차원에서도 실천한 것을 사례를 통해 소개하고 있습니다.
심지어 좋은 조건의 자동차나 치킨 광고도 본인의 신념 때문에 거절했다고 하네요. 이만하면 타일러 씨를 존경해도 되겠죠? 돈의 유혹을 뿌리치긴 쉽지 않은데…. 말이죠. 하하
현대는 필 환경 시대라고 해서 이젠 환경을 보호하는 것이 선택이 아닌 의무가 된 시대에 살고 있는데 반해, 개인 차원의 환경보호는 미미한 것이 현실입니다.
저 또한 '개인이 할 수 있는 것은 한계가 있고, 왠지 정부나 기관 혹은 우리나라보다 더 큰 나라들이 움직여줘야 근본적인 해결책을 찾을 수 있지 않을까'라는 생각을 은연중에 했던 것 같아요. 그런데 이런 생각을 이 책을 통해 타일러 씨가 정확하게 꼬집었습니다.

아나〉 그런데 구체적으로 환경문제와 코로나와 어떤 관계가 있는 거죠?

박미향〉 이번 코로나가 인간과 동물이 모두 걸릴 수 있는 전염병이라는 특징이 있어요. 쉽게 말해 동물에서 시작돼 인간에게 감염되는 거죠. 인간에게 유해한 바이러스는 원래 야생동물에 있었지만, 우리가 접촉할 일이 없으니 문제가 되지 않았죠. 그런데 이런 바이러스를 가진 야생동물의 서식지를 인간이 침범하게 되면서 문제가 생긴 겁니다. 야

생동물의 바이러스 감염은 지구 온난화와 깊은 관계가 있어요. 지구 온난화로 인해 빙하가 녹기 시작하면서 벌레나 박테리아의 서식지가 확장되고, 녹지 말아야 할 지층까지 녹이면서 전에 없었던 새로운 균과 박테리아가 전파되거든요.
이런 식으로 인간이 기후변화를 일으켰고 동식물에 영향을 미쳐서 마지막에는 다시 인간이 피해를 보게 됩니다. 결국 제 무덤을 제가 판 꼴이죠. 과거 제국주의 시대에 유럽인들이 아메리카로 건너가면서 퍼뜨린 천연두와 홍역으로 원주민들이 죽임을 당했잖아요. 원주민에게는 해당 바이러스에 대한 면역력이 없었으니까요.

아나〉 네 그렇군요. 결국 기후변화가 근본적인 원인이었군요. 우리 모두 책임이 있다는 말이 와닿네요.

박미향〉 네 맞아요. 그 누구도 자유로울 수 없죠. 실제로 한국은 규모보다 자원과 에너지를 많이 쓰는 국가이고, 대부분의 에너지 자원은 수입해서 쓰고 있어요. 그런데도 한국 사람은 우리가 환경문제를 해결하기에는 너무 작다는 이유로 회피하고 있다고 저자는 날카롭게 지적하고 있습니다.
저자는 '지구를 위해 실천해야 할 10가지'를 책에서 소개하고 있어요. 육류 섭취 줄이기, 가능한 한 걷거나 자전거 및 대중교통 이용하기, 음료 마실 때 빨대나 일회용 플라스틱 컵 사용하지 않기 등 우리가 의지를 갖고 할 수 있는 방법이 환경문제의 많은 부분을 해결할 수 있다고 합니다.

아나〉 저도 살짝 찔리네요. 그래도 꼭 한번 읽어봐야겠다는 생각이 드네요. 책에서 가장 인상 깊었던 구절이 있으면 하나씩 소개해주세요.
책 속에 이런 문구가 있어요.
"환경문제는 다르다. 월세 안 내서 쫓겨나면 다른 집을 구해도 되고, 빌린 돈을 안 갚아서 친구를 잃으면 새로운 친구를 사귀면 되지만, 지구에 빌린 것을 되돌려주지 않으면 어디로 쫓겨날 곳이 없어 목숨으로 갚게 되는 것이기 때문이다."
이 문구는 책의 제목과도 일맥상통해요. 환경문제로 지구가 살지 못할 곳이 된다면 정말 되돌릴 수 없다는 이 표현이 정말로 와닿았습니다. 지금 당장 내가 살기는 편하지만, 내 자식이, 내 손주가 행복하게 살기 힘들다고 생각하니 환경문제가 피부로 느껴지더라고요.
 요즘 코로나를 계기로 전 지구적으로 환경문제에 관해 관심을 가지는 계기가 되긴 했으나, 그로 인해 경제가 힘들다 보니 환경문제보다는 먹고사는 생계 문제를 더 중요하게 여기는 것 같아요. 모든 뉴스의 키워드가 코로나 혹은 코로나로 인한 민생문제를 다루고 있는 것이 현실입니다. 이 글을 읽고 환경문제 등 사회문제에 내가 부족하더라도 목소리를 내어야 한다고 생각했습니다.

아나〉 네 동의해요. 사실 환경문제라는 것이 관심을 두지 않으면 내 삶과는 멀게 느껴질 수 있는 부분이잖아요. 혹시 대표님이 이 책에서 특별히 와닿는 내용은 있었나요?
박미향〉 작가는 스타벅스와 같이 환경을 위한 제품을 쓰고 그 가치를 알리는 기업을 후원하고 응원한다고 했어요. 스타벅스의 종이 빨대를 예를 들면서 말이죠. 그 부분을 읽으니 환경문제가 내 삶과 가깝고 이미 함께하고 있구나라고 느꼈어요. 스타벅스에 처음 종이 빨대가 나왔을 때는 조금 불편했지만, 이제는 편하게 사용하고 있거든요. 이 책을 읽고 나서는 그보다 더 나아가서 반영구적 스틸 빨대를 쓰고, 텀블러를 가지고 다니면서 일회용 컵 사용을 줄여야겠다는 확고한 생각을 가지게 되었습니다.

아나〉 네, 맞습니다. 결국 개인의 관심이 사회의 변화를 만드는 것 같습니다. 혹시 이 책과 관련되어 추천해주실 다른 책이 있으실까요?
박미향〉 네 최근에 읽었던 '102t의 물음'이라는 책을 추천합니다. 플라스틱이 처리되는 과정과 플라스틱이 환경에 미치는 영향을 이야기한 책인데요. 코로나로 요즘 정말 일회용품 사용이 많아진 지금, '두 번째 지구는 없다'와 같이 읽으면 지금과 같은 코로나 상황에서 인류와 환경을 바라보는 거시적인 관점에 생각할 수 있을 거예요.
최근 환경문제에 관심이 높아지고 있습니다. 특히 지구 온난화가 점점 심해지면서 전 세계적으로 탄소 배출을 줄이는 탄소 제로를 목표로 하고 있습니다. 빌 게이츠는 〈기후 재앙을 피하는 방법〉이라는 저서에서 앞으로 지구가 처할 위기를 설명하고 그에 대한 해결 방법을 제시합니다. 국제해사기구에서는 바다를 누비는 선박에서 대기오염물질을 배출하지 않도록 규제를 시행했죠. 우리나라도 수소 경제와 풍력 발전 등에 박차를 가하고 있습니다.
우리 시민들도 최근의 코로나 사태와 중국에서 날아오는 초미세먼지 등을 겪으면서 환경에 관한 관심이 높아지고 있는데요. 대중교통을 이용하고 일회용품을 줄이는 등 작지만 우리가 할 수 있는 일들을 실천해 나간다면 지구환경에 큰 도움이 될 거 같습니다.

리부트-김미경

박미향〉 오늘 소개해 드릴 책은 '김미경의 리부트'입니다. '김미경의 리부트'는 강사 김미경이 코로나 시대에 생존할 방법에 관해 연구하고 고민한 노하우를 쓴 책이에요.
지난 시간 타일러 러쉬의 '두 번째 지구는 없다'를 소개했는데요. 다들 읽어보셨나요? 코로나와 환경문제에 대하여 생각해보는 시간을 가졌다면, 오늘은 경제가 위축되고 사람들의 접촉이 제한되는 코로나 시대에 살아남기 위해서 어떤 생각을 해야 하고, 어떤 역량을 갖춰야 하는지에 대해 생각해보기 위해서 이 책을 선정했습니다. 요즘 힘들게 가정생활을 하시고 또 경영 위기에 놓인 자영업자들이 아주 많을 텐데요. 오늘 제가 소개해 드리는 이 책을 읽으신다면 코로나로 멈춘 나를, 다시 일으켜 세울 좋은 기회가 될 수 있다고 생각합니다.

아나〉 김미경 강사는 아주 유명한 강사죠. 그래도 혹시 모르시는 분을 위해 작가를 소개해주시겠어요?

박미향〉 네, 김미경 강사는 우리나라 대표 스타 강사죠? 스물아홉 살부터 28년간 사람들의 꿈과 성장을 주제로 강의를 진행해온 배테랑 중에 찐 베테랑 강사인데요. 리더십과 인간관계, 커뮤니케이션과 자기계발 등 다양한 주제로 강의를 하고 저서를 출판하고 있습니다. 저도 이 분의 책을 많이 읽었는데요. 조금은 센 언니처럼 보여서 호불호가 강한 작가이기는 해요. 처음에는 기업 강의로 시작하여, 방송에도 출연하고 강의를 했었는데 지금은 '김미경 TV'라는 유튜브 강의 채널을 운영하면서 '그루맘'이라는 교육 사업을 운영하면서 학장과 교육 채널 CEO로 활동하고 있습니다.

아나〉 네, 그렇군요. 코로나가 크게 유행하면서 코로나와 관련된 책이 굉장히 많이 나왔죠. 그중에서 이 책을 선정한 이유는 무엇일까요?

박미향〉 코로나로 모두가 힘들게 살아가고 있어요. 김미경 강사는 코로나로 인한 미래의 막연한 답이 아니라 구체적이고 실질적인 해법을 내놓았기 때문에 이 책을 선정하게 되었습니다. 김미경 강사도 사람들이 많이 모여야만 강의를 할 수 있는 수입구조로 되어있었는데요. 코로나로 인해 강의가 아예 없어져 버렸죠. 그야말로 강의 수입 0인 된 국민 강사 김미경! 회사를 운영할 수조차 없었던 그녀가 내놓은 솔루션…. 궁금하지 않으세요? (그 해법은 디지털과 관련이 있는데 책 내용을 소개할 때 구체적으로 소개해 드리겠습니다) 이 책에는 김미경 강사가 SNS에서 소통한 것을 소개하면서 사람들의 현실적인 목소리를 들려줘요. 그리고 자신이 코로나로 강의가 없어져 힘들었던 시기에 했던 생각과 경험들부터 코로나 시대의 어려움을 돌파하기 위해 연구하고 배운 방법들을 자세히 소개하고 실제로 사업에 적용하는 과정을 이야기하고 있기에 현실적으로 와닿는 부분이 아주 많아요.

다른 책들은 코로나 시대, 그리고 그 이후에 우리가 살아가야 하는 사회에 관해 설명하거나, 경제나 투자 관점에서 코로나 시대를 설명하는 책들이 대부분이에요. 포스트 코로나를 이론적으로 알면 좋지만 지금 당장 매출이 떨어지고 일자리가 없어지고 이런 불안한 상황에서 그런 이야기들은 우리와 조금 거리가 느껴지는 이야기죠. 이러한 측면에서 '김미경의 리부트'는 지금 당장 읽으면 우리의 삶에 또 우리의 매장과 사업에, 도움이 될 책이라 꼭 소개하고 싶습니다.

아나〉 책 내용도 간단하게 설명해주시죠.

박미향〉 김미경 강사는 코로나로 인해 변하는 세상에 맞춰 자신의 핵심역량에 디지털을 접목하라고 말하고 있어요. 그 개념을 설명하는 단어가 리부트인데요. 리부트란? "재시동"이라는 단어예요. 리부트는 영화에서 많이 쓰는 단어인데, 영화의 등장인물과 핵심 골격은 그대로 유지한 채 새로운 이야기를 전개하는 방식입니다. 배트맨 시리즈 아시죠? 1편, 2편, 3편, 4편 모두 나오고 나서 그 내용이 아닌 다른 이야기로 크리스토퍼 놀런 감독의 '배트맨 비긴즈'를 만들었죠? 크리스토퍼 놀런 감독이 배트맨이라는 주인공과 기본골격만 남겨놓고 전혀 다른 이야기로 영화를 만들었어요. 이렇게 리부트된 영화들은 배트맨뿐만 아니라 많이 있어요. 〈스파이더맨〉은 〈어메이징 스파이더맨〉으로 〈007〉 시리즈도 매우 많지만 〈007 카지노 로얄〉로 리부트되어 굉장히 흥행하기도 했었어요. 책 제목인 리부트라는 개념을 영화에서처럼 주인공과 기본골격만 남겨놓다 새로운 이야기를 다시 쓴다고 생각하시면 쉽게 이해가 될 거예요.

작가는 이와 마찬가지로 우리 개인과 기업도 기존의 방식을 버리고 새로운 답 or 새로운 스토리를 찾아야 한다고 이야기하고 있어요. 그 방법으로 '온택트', '디지털 트랜스포메이션', '인디펜던트 워커, '세이프티'라는 4가지 공식을 소개하고 있습니다.

아나〉 4가지 공식이 정말 궁금한데요. 한번 소개해주세요

박미향〉 네, 첫 번째 공식 '언택트'입니다. 온라인 대면을 뜻하는데요. 사람과 사람 사이의 접촉이 막힌 언택트 시대는 온라인으로 연결하고 소통하는 방법을 찾아 해결해야 한다는 것이죠. 이미 우리는 온라인 대면과 비대면 접촉에 아주 익숙해져 있을 겁니다. 배달문화가 자연스러워지고, 학생들의 수업이나 기업의 회의가 화면상에서 이루어지고 있어서 '언택트'는 우리 생활에 많이 녹아들어 있어요. 여러분 자녀들도 모두 화상으로 교육을 받고, 앱으로 배달 음식을 시켜 먹고, 줌이나 메신저로 소통하며 자택 근무를 하고 있죠? 이 모든 것이 언택트를 위한 것인데요, 선택을 구현하기 위해서는 언택트 세상에 빨리 눈을 뜨셔야 합니다. 언텍트가 아니면 내 매장과 사업을 지킬 수 없다는 이야기와 마찬가지니까요.

두 번째 공식 '디지털 트랜스포메이션'입니다. 언택트를 실현하려는 방법이에요. 위에서 언급했듯이 언택트를 구현하기 위해서는 디지털 기술을 기반으로 하므로 꼭 배워야 한다고 합니다. 소통 방식, 마케팅, 서비스와 제품생산까지 모두 디지털로 바꾸는 것을 '디지털 트랜스포메이션'이에요.

특히 디지털 변혁을 일으킨 명품 브랜드 버버리를 그 대표적인 예라고 소개하고 있는데요. 전통과 역사를 자랑하는 버버리가 디지털 혁신 회사로 탈바꿈했습니다. 전략혁신위원회를 열어 자유롭게 의견을 낼 수 있는 장을 마련하고, 고객 맞춤형 온라인 서비스를 제공하기 시작했어요. 고개들이 자신이 원하는 스타일의 코트를 직접 디자인하고 주문할 수 있게 된 거죠. 이와 동시에 각종 SNS와 유튜브를 통해 다양한 캠페인 진행을 했고요. 홀로그램으로 모델들과 함께 파격적인 디지털 패션쇼를 온라인으로 진행했다고 합니다. 이렇게 사업에 디지털 기술을 적용한 결과 매출이 흑자로 전환되고 주가는 무려 165%나 상승했다고 해요. VR 미술관, 대형백화점들도 발 빠르게 언텍트 트랜스포메이션을 준비해 온라인 시장으로 진입하고 있습니다.

마케팅은 몇 년 전부터 SNS를 통해 이루어지고 있으므로 지금은 어떤 마케팅 회의에서도 온라인 마케팅은 필수이고, 물건과 음식을 사고 파는 것도 배달 어플이나 소셜 커머스 대부분 이루어지고 있어요. 코로나 시대 이전에도 있던 기술과 문화이지만 지금은 폭발적으로 성장한 분야이고, 디지털 기술은 코로나가 해결된 이후에도 우리와 아주 밀접하게 사용될 기술이기 때문에 더욱 그 필요성을 느끼게 되네요.

아나〉 네 그렇군요.

박미향〉 세 번째 공식은 '인디펜던트 워커' 입니다. 인디펜던트 워커는 조직에 연연하지 않고 자유롭고 독립적으로 움직이는 미래형 인재를 말하는 건데요. 지금 이 시대에 사는 누구라도 이 인디펜던트 워커를 준비해야 한다고 이야기하고 있어요.
인디펜던트 워커가 되기 위해서는 자신만의 코어 콘텐츠를 디지털 기술로 풀어낼 줄 알아야 합니다. 예전에는 대학 때 배운 것을 써먹거나 자격증 하나 정도로 일을 구할 수 있었다면 지금은 이야기가 좀 다릅니다. 끊임없는 공부와 연구를 통해 자기 일에 투자해서 빌드업시키고 그 건들을 토대로 자신의 커리어로 삼아야 하죠. 애플이나 아마존 등 대부분 회사는 대졸자들이 아닌 오직 실력으로 직원들을 뽑는다고 하니 빠르게 배우고 실전경험을 많이 쌓아야겠죠?

마지막, 네 번째 공식은 세이프티입니다. 코로나 때문에 모든 산업과 사업의 출발점은 좋은 서비스와 제품이 아니라 '안전'으로 바뀌어 버렸죠. '안전'즉 세이프티 자체가 사업이 되어버린 게 많죠. 전국에 많은 방역 업체가 생겼고 기존의 방역 업체도 매출이 굉장히 올랐다고 해요. 이제 모든 소비의 기준이 즉 삶의 가치도 세이프티로 변했기 때문에 이를 받아들이고 적용해야 한다고 합니다.

아나〉 위에서 얘기한 공식들을 적용하는 방법들은 없을까요?

박미향〉 작가는 자신만의 리부트 시나리오를 쓰는 것을 추천해요. 내가 잘하는 것이 무엇인지 생각하고 코로나로 바뀌어 버린 세상에서 바꾸어야 할 것들을 버려야 할 것들을 써보라고 조언합니다. 그것을 토대로 자신만의 시나리오나 사업 시나리오를 써보고, 위에서 말한 4가지 공식에 들어맞는지 검토를 하는 거죠. 책에서 그 예시가 굉장히 상세하게 나오니 읽어보면 좋겠네요!
그리고 SNS와 플랫폼을 이용해서 내가 필요한 것을 배우고 즉시 적용하는 '즉시 교육'의 중요성을 말하고 있어요. 앞으로는 가르침을 받기만 해서는 속도가 늦고 직접 배울 수 있는 사람만이 세상의 변화에 적응하고 따라갈 수 있다고 합니다.

아나〉 책 내용 소개 감사합니다. 정말로 코로나 시대에 맞는 구체적인 방안에 관해서 이야기하고 있네요. 책에서 가장 인상 깊었던 구절 있으면 하나씩 소개해주세요.

박미향〉 책 마지막에서
"네가 더 힘들지. 요즘 얼마나 애쓰고 사니?"
라는 부분이 나와요. 제가 너무 힘들어서 이 말이 와닿았는지 모르겠네요. 저희 인문학 아카데미 '이야기 끓이는 주전자'도 힘든 시간을 보내고 있거든요. 지금 누구나 어려움을 겪고 있는데 이 작은 위로 한마디가 코로나 시대를 이겨나가는 정말 큰 힘이 될 수 있다고 생각해요. 작가도 앞에서 어마어마한 속도로 바뀌는 세상에 적응하고 바뀌어야 한다고 말하고 있지만 지치고 힘든 사람들에게 응원의 목소리를 보내고 있었습니다. 이 라디오를 듣고 계시는 분들도 정말 고생 많으십니다. 이렇게 여러분도 주변 사람들에게 위로를 건네 보시는 건 어떨까요?

아나〉 네, 저도 요새 많이 우울했었는데 먼저 지인들에게 힘드냐고 물어보고 응원의 메시지를 보내야겠어요. 혹시 이 책과 관련되어 추천해주실 다른 책이 있으실까요?

박미향〉 넷플릭스 CEO 리드 헤이스팅스가 쓴 '규칙 없음'을 추천합니다. 최근에 정말 많은 분이 넷플릭스 서비스를 이용하고 있죠. 넷플릭스는 DVD 대여 서비스에서 인터넷 스트리밍 서비스로 사업을 전환하고, 시대 흐름에 발맞춰 혁신을 거듭한 기업입니다. 이 넷플릭스의 세련되고도 세상의 변화에 앞서가는 경영방식과 기업문화에 소개하는 이 책을 읽어보시면 '김미경의 리부트'와는 또 다른 해법을 얻을 수 있을 겁니다.

폰더 씨의 위대한 하루-앤디 앤드루스

박미향〉'폰더 씨의 위대한 하루' 이 책은 앤디 앤드루스라는 작가가 썼는데요, 원제는 'TRAVELER'S GIFT'입니다. '여행자의 선물' 정도로 해석할 수 있는데, 우리나라에서는 '폰더 씨의 위대한 하루'란 제목으로 번역하여 세종서적에서 출간하였습니다.
이 책은 미국에서 출간이 되었는데요, 출간되자마자, 17주 동안 뉴욕타임스에 베스트셀러로 선정되었습니다. 작가는 언론으로부터 미국에서 가장 영향력 있는 인물 중 한 명으로 꼽히고 있으며, 베스트셀러 소설가이자 방송인, 세계적인 규모를 자랑하는 컨설팅 회사의 인기 있는 기업 전문 강사로 활동하고 있습니다. 이 책은 2003년 국내에서 출간과 동시에 베스트셀러로 서점가에 이름을 올렸습니다. 그리고 지금까지 스테디셀러로써 독자에게 꾸준히 사랑받고 있습니다. 그 이유는 짜임새 있는 줄거리로 삶의 변화를 주는 교훈을 탁월하게 엮었기 때문이라 생각합니다.

아나〉 예, 아주 기대가 되는 책이네요. 이 책을 선정한 특별한 이유가 있을까요?

박미향〉 예, 이 책은 경제가 어렵고, 더구나 코로나 상황에서 힘들어하는 우리에게 꼭 필요한 책이라는 생각이 들었습니다.
경제가 힘들다는 말은 예전부터 많이 들어왔습니다. 아니 힘들지 않은 때가 없었던 것 같습니다. 그런데 지금은 경제의 어려움에 더하여 코로나라는 감염병까지 창궐하는 더욱더 어려운 상황이 되었습니다.

아나> 맞아요. 엎친 데 덮친 격이라는 말은 이런 상황을 두고 하는 말이라는 생각이 드네요.

박미향> 예, 현재 많은 사람이 실직을 당하였으며, 소상공인은 장사가 되지 않아 위기에 처해있습니다. 백신이 개발되어 접종이 시작되기는 했지만, 코로나는 오히려 4차 유행 시기에 접어들고 있습니다.
이 책의 주인공 폰더도 실직을 당하여 경제적인 위기 상황에 처했습니다. 경제 위기뿐만 아니라 하나밖에 없는 딸도 병에 걸렸습니다. 폰더가 처한 상황은 지금 우리가 처한 상황과 비슷하다고 말할 수 있습니다. 이 책은 이런 상황을 극복하고 성공적인 삶을 살기 위해서 어떤 결단을 해야 하는지를 잘 보여주고 있습니다.
위기는 대처하기에 따라 하나의 새로운 기회가 되기도 합니다. 이제껏 타성적으로 살아오던 생활 패턴을 바꿀 수 있으니까요. 주인공은 위기에 처합니다. 당연히 좌절하기도 합니다. 하지만 일곱 명의 위대한 인물들을 만남으로 교훈을 얻어 새로운 삶을 시작합니다. 이 책을 소개하면서 주인공 폰더가 어려움을 극복하고 새로운 삶을 시작했듯이, 우리도 위기 상황을 기회의 시작점으로 활용하면 좋겠다는 바람으로 이 책을 선정하게 되었습니다.

아나〉 시중에는 많은 자기계발서가 나와 있습니다. 이 책이 다른 책과 구별되는 특징이 있을까요?

박미향〉 자기계발서의 통상적인 서술구조는 어떤 가치나 교훈을 말하고 그것을 뒷받침하는 글의 형태를 취합니다. 하지만 이 책은 자기계발서임에도 불구하고 기존의 책과는 구분되는 소설 형식을 취했습니다. 자기계발서라는 산문은 통상 어떠한 가치를 논리적으로 서술함으로 독자를 설득합니다. 논리적이라는 말이 들어가면 재미보다는 딱딱한 글이라는 인상이 강합니다. 반면에 이 책은 소설 형식을 취했기에 독자가 읽을 때 일단 재미가 있습니다. 읽음으로써 자연스럽게 그 가치가 독자의 마음속에 전달이 되기에 독자는 이해하기도 쉽습니다.

아나〉 소설이라고 하셨는데, 그 스토리가 궁금해지네요?

박미향〉 40대 중반의 데이비드 폰더 씨는 아내와 딸을 둔 가장으로서 성실한 직장인이었습니다. 그런데 다니던 회사가 갑자기 적대적 기업합병을 당해, 주인공은 하루아침에 실직자가 됩니다. 집세는 밀리고 통장까지 텅 빈 상태가 되었는데, 사랑하는 딸 제니까지 병에 걸려 수술해야 할 지경에 이르게 되었습니다. 겨우 얻은 임시직마저 사적 통화를 길게 했다는 이유로 해고를 당하게 됩니다.
그 상황에 좌절하여 고속도로를 무작정 과속으로 달리기 시작합니다. 그러다 교통사고가 나서 정신을 잃게 됩니다. 그런데 정신을 잃은 상황 속에서 환상에 빠지게 되고 그 환상 속에서 일곱 명의 위인을 만나게 됩니다. 그들과 만나며 쪽지를 하나씩 받게 되는데, 그 쪽지 마다에는 '성공을 위한 결단'이 하나씩 적혀있습니다. 결국 이 책은 소설 형식을 빌려 성공을 위한 일곱 가지 결단이 무엇인지를 말하고자 한 것이지요.
일곱 명의 위인을 만나 '성공을 위한 일곱 가지 결단'의 교훈을 얻고 난 후 폰더는 미래로 갑니다. 그 미래에서 그는 일곱 가지 결단을 지킨 후에 매우 성공한 자신의 모습을 보게 됩니다. 그리고 현실로 돌아옵니다. 그는 병실에 누워있었고, 자신이 겪은 것이 꿈이라고 생각합니다. 비록 꿈일지언정 그는 바뀌어 있었습니다.

'중요한 것은 거기에 정말 갔다 왔느냐가 아니잖아? 무엇을 배웠는가가 중요하잖아?

그렇게 생각한 폰더는 자신이 겪은 성공을 위한 7가지 결단 사항을 종이에 적습니다. 그런데 나중에 짐을 정리하던 중 가방 안에서 위인이 준 쪽지인 담배쌈지를 발견하였고, 그것이 꿈이 아님을 암시하며 이야기는 끝이 납니다.

아나〉 아주 흥미롭네요. 이 책의 주 내용이 일곱 명의 위인을 만나 성공을 위한 교훈을 얻었다고 했는데, 그 내용이 어떤 것인지 소개해주시면 청취자 여러분에게 많은 도움이 될 것 같습니다.

박미향〉 예, 폰더가 만난 일곱 명의 위인과 쪽지에 적힌 내용을 몇 가지 소개해 드리겠습니다.

첫 번째 만난 위인은 미국의 33대 대통령 트루먼입니다. 주인공이 만난 시점의 트루먼 대통령은 일본에 원자폭탄 투여를 고민하고 있습니다. 원자폭탄이 투여되면 전쟁은 끝낼 수 있겠지만 수많은 민간인이 희생되는 것을 알기에 결단이 필요한 일입니다. 그는 결국 원폭 투하를 결정하고 전쟁을 멈추게 했습니다. 주인공이 트루먼에게서 받은 쪽지에는 "공은 여기서 멈춘다."라는 말이 쓰여있습니다.
공이 멈추는 시점은 인생의 변곡점이 되는 시점입니다. 기존의 것을 멈추어야 새로운 것을 시작할 수 있습니다. 전쟁이라는 공을 멈추게 하기 위해 원폭을 투하한 것과 같습니다. 이 교훈은 결국 성공을 위해서는 결단이 필요하다는 것을 의미합니다. 자신을 불행하게 만들며 굴러온 공을 멈추게 해야, 새로운 미래를 향해 나아갈 수 있다는 것을 의미합니다. 그래서

"공은 여기서 멈춘다."입니다.

두 번째 만난 위인은 지혜의 왕인 솔로몬 대왕입니다. 우리가 잘 알고 있는 아기의 진짜 엄마를 찾아주는 일화 속으로 들어갑니다. 솔로몬 왕과 대화를 한 후 받은 쪽지에는
"나는 지혜를 찾아 나서겠다."
로 지혜를 찾는 방법이 쓰여 있습니다. 과거는 바꿀 수 없지만, 오늘 행동으로 미래는 바꿀 수 있으며, 조심스럽게 친구를 선택해야 하며, 현명한 사람의 조언에 귀를 기울이고, 다른 사람에게 겸손하게 봉사해야 하는 것이 지혜를 찾을 방법임을 말하고 있습니다.

세 번째 만난 위인은 조슈아 체임벌린 대령입니다. 그는 남북 전쟁의 판도를 바꾼 게티즈버그 전투에서 남군을 맞아 용감히 싸웠습니다, 탄약이 고갈되자 빈 총으로 총검 돌격을 지시하여 자신의 부대보다 몇 배나 많은 남군을 이겼습니다. 폰더는 그 현장으로 가서 게티즈버그 전투를 목격하며 체임벌린 대령에게서 쪽지를 받았습니다. 그 쪽지에는 성공을 위한 세 번째 결단
"나는 행동하는 사람이다. 나는 과감하다, 용감하다, 이제 두려움은 내 인생에 발붙일 자리가 없다."라는 말이 쓰여있었습니다.
이러한 과정을 거치며 그 이외에도 차례로 위인을 만나게 됩니다.

신대륙 발견이 불확실한 상황에서 성난 선원들을 설득하는 콜럼버스를 만나
"나는 단호한 마음을 가지고 있다."
라는 네 번째 결단을, 다락방에서 숨죽이며 나치의 수색을 피하던 안네 프랑크를 만나
"오늘 나는 행복한 사람이 될 것을 선택하겠다."
라는 다섯 번째 결단을,
링컨을 만나
"나는 매일 용서하는 마음으로 오늘 하루를 맞이하겠다."
라는 여섯 번째 결단을, 그리고 마지막으로 가브리엘 천사를 만나 "나는 어떤 경우에도 물러서지 않겠다."
라는 일곱 번째 결단을 쪽지로 받게 됩니다.

아나> 예, 성공을 위해서 꼭 필요한 교훈인 것 같습니다. 그렇다면 이

책의 교훈과 우리가 지금 겪고 있는 현실과 어떻게 연결할 수 있을까요?

박미향〉 폰더 씨가 만난 위대한 인물들이 이룬 업적은 그냥 이루어진 것이 아니었습니다. 고통과 위기를 극복하고 난 뒤에야 성공이 이루어진 것이지요. 지금 많은 사람이 실직과 코로나 등 여러 가지 상황으로 힘들어합니다. 그리고 좌절하고 있는 사람도 있을 것입니다. 그런데 위대한 사람들의 공통점은 그런 위기를 성공을 위한 전환점으로 활용했다는 것입니다. 그런 전환점을 만드는 방법을 이 책의 교훈인 '성공을 위한 7가지 결단'에서 배워야 한다는 것입니다.

이 책은 꼭 어려움에 처한 사람만이 읽어야 하는 책은 아닙니다. 7가지 교훈은 일반인들도 알면 더욱 좋은 삶을 살 수 있게 할 것입니다.

아나〉박 대표님은 이 일곱 가지 결단 중 가장 가슴에 와닿는 내용이나 혹은 실천하고 있는 내용이 있을까요?

박미향〉 저는 일곱 가지 교훈이 모두 귀한 가치가 있다고 생각합니다. 독자들의 생각과 경험에 따라 다 다르겠지만 저는 네 번째 결단인 안네 프랑크의

"오늘 나는 행복한 사람이 될 것을 선택하겠다."

라는 것입니다. 나치의 대학살이 일어나던 시점이었기에 잡히면 죽는다는 것을 안네 프랑크도 알고 있었습니다. 다락방에서 숨죽이며 나치의 수색을 피하던 안네 프랑크는 얼마나 불안했을까요? 그런 불안한 상황에서도 자신은 오늘 행복을 선택하겠다고 다짐하는 것에 감명을 받았습니다. 그래서 저는 아침 눈을 뜨자마자 '나는 오늘도 행복을 선택하

겠다.'라고 속으로 세 번 외칩니다. 그렇게 하니 정말 하루를 행복감으로 시작할 수 있게 되더군요.

아나〉 저도 한번 해보아야겠습니다. 청취자 여러분도 이 책을 읽고 교훈을 생활에서 실천한다면 아주 좋을 것 같습니다.

인간이 그리는 무늬-최진석

박미향〉 오늘 제가 소개해 드릴 책은 '인간이 그리는 무늬'라는 책입니다. '인간이 그리는 무늬는'는 최진석 교수가 인문학에 관해서 쓴 책인데요. 최근 코로나 바이러스로 인해 혼란스럽고 불안한 상황에 웬 인문학책인가 하시는 분들도 계실 텐데요. 보통 인문학이라고 하면 마냥 어렵고 막연하게만 느껴질 때가 많아요. 인문학을 공부하고 배운다는 게 큰 틀에는 가치가 있고 많은 도움이 된다고 하는데 정작 삶에 적용하거나 활용하기가 어렵다고 생각하시는 분들도 많을 것 같아요. 이런 혼란의 시기에 제가 추천하는 책을 읽어보신다면

"인문학적으로 산다는 것이 이런 것이구나. 또 나의 삶에 적용을 시킨다면 정말 행복한 삶을 살아갈 수 있겠구나."

라는 생각을 하실 것 같아요. 코로나 시대를 살아가고 있는 우리 모두에게 새로운 답을 줄 수 있지 않나 라는 생각에서 이 책을 선정하게 되었습니다.
아나〉 그렇죠. 인문학이라 하면 정확하게 어떤 거다! 이렇게 말하기가 어렵죠. 그래서 그 인문학이 어떤 것인지, 어떻게 배우는 건지 명확하게 안다면 정말 도움이 될 거 같아요. 이 책을 쓰신 최진석 교수님은

어떤 분인가요?

박미향〉 네 최진석 교수님은 서강대학교에서 20년 동안 철학 강의와 연구를 하셨는데요. 철학 중에서도 동양 철학에 깊이 있는 연구를 하셨어요. 중국에서 특히 노자와 장자로 대표되는 도가 철학에 정통하신 분이죠. 최근에는 건명원이라는 교육기관에 초대 원장직을 지내기도 했어요. 건명원은 인문/과학/예술 분야의 석학들이 강의하는 인재 육성기관이에요.
최근 방송에서도 활약을 많이 하셨는데요. EBS, 세바시, 플라톤 아카데미 등에서 인문학 특강을 진행하셨어요. 이 강의들은 인문학에 목마른 사람들에게 매우 뜨거운 사랑을 받았다고 있어요. 저도 교수님 강의를 채널로 고정해 2~3번 정도 다시 들을 정도로 열심히 들었습니다.
강의 스타일이 매우 강렬하셔서 듣고 있으면 바로 몰입의 상태로 들어가게 되어요. 굉장히 직설화법으로 강의하세요. 예를 들면 멘토를 죽여라. 지식은 사건이 남긴 똥이다. 또 뒤에 나오겠지만 나의 장례를 치러라. 굉장히 세죠? 오늘 이런 센 이야기들을 인문학적으로 풀어보도록 하겠습니다.
최진석 교수님은 책도 많이 쓰셨어요. 주된 저서로는 이 책, [인간이 그리는 무늬]와 함께 [노자의 목소리로 듣는 도덕경], [탁월한 사유의 시선] 등이 있습니다.
이렇게 교수님은 인문학적 통찰을 담은 강연과 저술 활동을 활발히 하고 있습니다.

아나〉이 책은 어떤 내용을 다루고 있나요?

박미향〉 네, 이 책이 가지고 있는 가장 큰 매력은 인문학을 쉽게 이해하도록 서술한 것입니다. 다른 어려운 인문학책들과 확연히 다릅니다. 제가 앞에서 최진석 교수가 방송 활동을 많이 하셨다고 말씀드렸었죠? 교수님은 '리더, 도가에서 길을 찾다'라는 주제로 〈수요포럼 인문의 숲〉이라는 프로그램과 MBN에서 진행한 〈지식 콘서트〉에서 강의를 하셨어요. 그리고 그 강의 내용을 책으로 풀어낸 게 바로 이 책이라고 합니다. 유튜브로 강의를 들어보셔도 좋을 것 같습니다. 그래서 그런지 이 책을 읽어보면 굉장히 이해하기 쉽고 친숙한 단어로 쓰여 있습니다. 책이 모두 구어체로 되어있어 강의를 듣는 듯한 느낌을 들기도 해요.

다른 책들도 물론 인문학을 어떻게 공부하는지, 인문학을 배우면 어떤 점이 좋은지 쓰여 있어요. 하지만 그 설명을 위해 처음 들어보는 인문학책에 대한 내용과 해설이 많은 부분을 차지해 막상 다가가기가 어렵더라고요. 어떨 때는 그런 인문학책 제목에 압도당해서 지레 겁먹고 더 다가가지 못하기도 했습니다. 김유리 아나운서님은 인문학책 어떠신가요? 어렵지 않으신가요?

최진석 교수도 처음 준비했던 강의 원고가 너무 딱딱하고 어렵다는 평가를 들었다고 해요. 인문학과 철학에 대한 강의다 보니 어쩔 수 없었을 거예요. 그래서 결국 사람들과 소통할 수 있도록 방송 내용에 맞추어 쉽고 부드럽게 다시 원고를 만들었다고 합니다.

그런 측면에서 [인간이 그리는 무늬]는 좀 더 친숙하게 인문학에 다가설 수 있게 해줍니다. 그리고 인문학을 하는 방법에 대해 다양한 이야기를 접하면서 반복적으로 들려주기 때문에 애쓰지 않아도 인문학적 삶을 사는 방법에 대해 배울 수가 있어요.

아나〉 네, 알겠습니다. 이렇게 얘기를 듣다 보니 인문학을 하는 방법이 정말 궁금한데요. 그런데 책 제목이 [인간이 그리는 무늬]인데 어떤 의미가 있나요?

박미향〉 네, 인간이 그리는 무늬란 그야말로 인문학을 뜻해요. 인문이라는 단어를 풀어 쓰면 사람을 뜻하는 인과 무늬를 뜻하는 문이 책 제목인 인간이 그리는 무늬가 된다고 하거든요. 그런데 이 무늬라는 표현도 확실하게 와닿지 않을 수 있어요. 좀 더 쉽게 설명하자면 인문이란 '인간의 동선'입니다. 과거는 인간이 걸어온 뒤쪽이고, 미래는 앞쪽 방향인 거죠. 인간이 생각하고 행동한 것들을 기록한 것들이 인문학에 포함되는 문학, 역사, 철학이고요. 결국 인문학을 한다는 것은 인간이 걸어온 길을 배우고 통찰하여 또 새롭게 창조하는 것이라고 할 수 있겠습니다.

아나〉 네 그렇군요. 그럼 책 내용 소개와 함께 인문학을 하는 방법도 부탁드리겠습니다.

박미향〉 네, 이 책의 핵심 주제는 제대로 된 인문학을 하기 위해 '오직 자신의 욕망에 집중하라'라는 것인데요. 책 전체에서 자신의 욕망에 집중하는 것이 인문학이 되는 이유와 방법을 이야기하고 있습니다.
책은 총 4챕터로 이루어져 있어요. 첫 번째 챕터에서는 앞서 말씀드린 인문학이 무엇이고 어떤 것인지를 함께 알아보는 부분이 나와요. 그리고 인문학을 하기 위해서는 사회에서 요구하는 기준에 맞추지 말고 자신의 욕망에 맞추어 행동하고 생각하라고 합니다. 그래야 독립적 주체가 되어 제대로 된 인문학을 할 수 있다고 해요. 자기를 지배하고 있던 이념과 가치관에서 벗어나야 세상을 있는 그대로 바라볼 수 있는 인문적 통찰이 가능해지고 자신의 능력을 100% 발휘할 수 있다는 거예요. 반대로 세상이 요구하는 대로 살면 따라가는 데 급급하고 자신만의 창조물을 만들 수 없게 되죠.

아나〉 독립적 주체가 되어야 한다. 구체적으로 예를 들면 어떤 게 있을까요?

박미향〉 TV 프로그램 영재발굴단에서 소개된 미술 영재 우림이 얘기를 들려드리고 싶네요. 우림이는 초등학교 때 엄청난 그림 실력을 보여줬어요. 그림의 형태와 내용도 독특하고, 자신만의 그림을 그릴 수 있는 재능을 가지고 있었죠. 자신의 상상력으로 독창적인 그림을 그려 사람들을 놀라게 했죠. 제가 미술교육 전공이거든요. 많은 학생의 그림을 보는데요. 이렇게 재능 있는 학생들의 그림을 보면 확실히 달라요. 디테일과 상상력 등이 엄청난 차이를 보여주거든요. 자신이 가진 욕망을 있는 그대로 드러낼 수 있었던 거예요.

그런데 5년 후 고등학생이 된 우림이는 더 이상 멋진 그림을 그리지 못하고 있습니다. 대학 진학을 위해 입시 미술을 배우고 있는데 거기서는 상상력과 독창성을 전혀 발휘할 필요가 없었습니다. 입시 미술에서는 석고상을 보고 정해진 시간 안에 누가 더 기준에 맞게 잘 그렸냐 하는 게 평가 기준이었던 거예요.

이게 결국은 공식이에요. 저도 입시 준비할 때 그림을 수학 공식 외우듯 외워서 그렸거든요. 감각적으로 그려야 할 예술 파트에서 기계적으로 외워서 그림을 그려야 대학을 갈 수 있다는 것이 정말 아이러니하지 않습니까? 이것이 우리 사회의 모습을 그대로 보여준다고 할 수 있을 것 같아요. 많은 재능 있는 학생들이 아니, 사람들이 그 재능을 묵살 당하며 사회적 기준에 맞춰져 공장에서 붕어빵 찍어내듯 만들어지고 있습니다. 정말 안타까운 현실이 아닐 수 없습니다.

인문학을 하는 이유는 주체적인 삶을 살고 행복을 누리기 위해서예요. 앞서 말씀드린 이념과 가치관은 사회에서 요구하는 '바람직함', '해야 함', '좋음' 등의 기준이에요. 그런데 그 기준에 도달하기 힘들거나 내 욕망과는 반대라면 나는 전혀 행복한 삶을 살 수가 없는 거죠. 나는 노란색, 초록색, 보라색, 분홍색이 조화를 이루는 모양이 좋은데 사회에서 파란색과 빨간색 둘 중의 하나만 고르라고 강요한다면 '사회' 속에서 '나'를 잃어가게 되는 거예요. 이렇게 봤을 때 자신의 욕망에 집중하는 것은 정말 중요하다고 할 수 있습니다.

아나〉 네, 그렇군요.

박미향〉 최진석 교수는 그렇게 자신의 욕망에 집중하여 독립적 주체가 되라고 한 다음 계속해서 인문학적으로 생각하고 인문학적인 삶을 살아가라고 이야기하고 있어요. 지식 자체에 집중하기보다는 사건에서 지식이 어떻게 사용되고 만들어지는지 통찰하기, 내 멋대로 하고 솔직해지기, 멘토를 찾지 말고 스스로 고민하고 나만의 답 찾아내기, 세상을 낯설게 보고 질문하기 등 여러 가지 방법들을 알려줘요. 이런 방법들로 인문학적 소양을 기르고 나만의 무늬를 만들어 간다면 더 자유로워지고 행복한 삶을 살 수 있을 거예요.

아나〉 네, 그렇군요. 그런데 저 방법들을 알고는 있어도 실제로 실천하기가 어려울 거 같은데 실천을 위한 다른 방법은 없을까요?

박미향〉 네, 그래서 최진석 교수는 자기 자신을 장례 지내라고 합니다. 자기 자신을 죽이다니 좀 섬뜩한 말이죠? 그런데 기존의 자기와 결별하지 않고는 절대 새로운 자기 자신을 만날 수가 없다고 합니다. 가치와 이념으로 결탁한 자아를 부정하고 다른 어떤 것에도 영향받지 않고 그냥 자기 자신으로만 존재하는 참 자아가 되어야만 하는 거죠. 그래야만 인문학적 삶과 진정으로 행복한 삶을 살아갈 수 있는 겁니다. 네 번째 챕터에 보면
"이성에서 욕망으로, 보편에서 개별로 회귀하라."
이런 문장이 나오는데요. 이 문장이 이 책의 주제라고 생각하면 될 것 같습니다. 이 말의 속뜻은
"그냥 네 멋대로 해라, 네 마음대로 살아라"
이거거든요. 철없는 행동으로 보일지 모르겠지만 법에 어긋나지 않는 선에서의 자유로운 삶. 세상이 만든 잣대에서 벗어나 오직 자신의 욕망에 집중하면서 좋은 일이 아닌 좋아하는 일, 바람직하지 않은 바라는 일, 해야 하는 일이 아닌 하고 싶은 일을 하면서 살아가라는 이야기입니다. 여러분은 어떤 삶을 살고 계시는가요? 한 번쯤은 우리가 꼭 생각해볼 법한 이야기라고 생각합니다. 지금, 자신만의 무늬를 그리면

서 살고 있는지? 말이죠.

아나〉 오늘 인간이 그리는 무늬, 인문학에 대한 책을 함께 살펴봤는데요. 이 책과 함께 읽으면 좋은 책 하나 소개해주실 수 있을까요?

박미향〉 네 김종원 작가가 쓴 '아이를 위한 하루 한 줄 인문학'이라는 책을 소개해 드리고 싶네요. 인간이 그리는 무늬와 같이 인문학을 배우는 방법에 관해 쓴 책이에요. 아이가 인문학을 배우기 위해 쓴 책이다 보니 인문학을 배우는 태도와 방법들을 무척이나 자세하게 소개해 놓은 책이에요. 그러므로 나 자신의 인문학 공부에도 정말 도움이 될 거예요. 그리고 자녀가 있으시다면 꼭 한 번 읽어보시면 좋을 거 같습니다.

하루 15분 명상-혜거 스님

박미향〉 안녕하세요. 오늘은 명상에 대한 책을 준비했습니다. 명상하면 좋다는 이야기를 많이 들으셨을 겁니다. 하지만 명상을 하면 무엇이 좋은지, 어떻게 하는지는 잘 모르는 경우가 많지요. 그런 분들을 위해서 '책으로 여는 세상'이라는 출판사에서 발간한 혜거 스님의 '하루 15분 명상'이라는 책을 준비했습니다.
현대인은 많은 일에서 스트레스를 받습니다. 특히 코로나 상황이 장기화하면서 많은 분이 정신적인, 현실적인 문제로 스트레스에 시달리고 있습니다. 스트레스는 만병의 원인이라는 말도 있습니다. 스트레스를 풀기 위해 친구와 수다를 떨기도 하고 술을 마시기도 합니다. 하지만 수다 후에는 허탈함이 찾아오고, 술을 마시고 나면 속이 쓰립니다. 그에 대한 해법을 명상에서 찾아보면 어떨까 하는 생각이 들어 명상에 관련된 책을 선정하게 되었습니다.

아나〉 명상을 하면 저도 좋다는 이야기를 많이 들었습니다. 명상을 한 번 해보면 좋겠다고 생각은 했지만, 어떻게 하는지를 몰라 생각만 했을 뿐 시도하지는 못했습니다. 어떻게 하는지 저도 궁금해지네요.

박미향〉 저도 마찬가지였습니다. 그래서 명상에 대해 알고 싶어 이 책을 읽게 되었습니다. 이 책을 읽으니 '아! 명상은 이런 것이구나, 명상은 이렇게 하면 되는구나!' 하는 생각을 하게 되었습니다. 명상이라 하면 어려운 것이라는 편견에 사로잡혀 있었는데, 이 책은 그런 편견의 벽을 깨어 줄 정도로 명상에 대해 아주 쉽게 표현하고 있습니다. 명상에 대해 아무것도 모르는 사람도 이 책을 읽으면 명상하는 것이 그리 어려운 것이 아님을 알 수 있습니다. 또한, 내용에 스토리가 있어 이해하기가 쉽고 가독성이 좋습니다.

아나〉이 책을 쓴 작가는 어떤 분인가요?

박미향〉 예, 작가는 혜거 스님입니다. 한평생 공부와 명상을 통해 자기 수행을 강조해왔는데, 도시 한 가운데 〈금강선원〉을 열어 도시 생활자들이 자신의 마음을 다스릴 수 있도록 명상을 가르치고 있습니다. 이러한 명상 지도는 30여 년째 이어져 오고 있는데, 지금도 해마다 1만 5천여 명 이상이 금강선원을 찾아와 명상을 통해 참된 자기 자신을 만난다고 합니다. 그동안 금강선원을 거쳐 간 명상 인구는 무려 30만 명이 넘는다고 합니다. 이 책 이외에도 '명상으로 10대의 뇌를 깨워라', '천 년을 이어 온 마음 수련원' 등 많은 책을 썼습니다.

아나〉 예, 오늘 우리는 명상의 대가를 만날 수 있겠군요. 그럼, 우리 함께 명상의 세계로 떠나볼까요?

박미향〉 이 책에 등장하는 사람은 혜거 스님과 무명씨입니다. 무명씨는 감정조절이 잘 안 되어 고민하던 중 혜거 스님을 찾아옵니다. 그런 그에게 혜거 스님은 하루 15분 동안 명상하기를 권합니다.
이 책의 구성은 무명씨와의 11번 만남을 통해 명상을 이야기하고 있습니다. 책에서는 무명씨와 있었던 일을 예로 들며 독자가 명상에 대해 자연스럽게 알 수 있도록 했습니다. 딱딱하고 거창하게 여겨지는 명상을, 재미있는 이야기를 통해 풀어내며, 자연스럽게 명상을 하는 방법을 알려줍니다. 독자는 자신이 무명씨가 되어 작가가 하라는 데로만 하면 자연스럽게 명상하는 방법을 터득하게 되는 것이지요.

아나〉 명상이 저도 어려운 것이라고만 생각했는데, 이 책을 읽으면 명상하는 방법을 자연스럽게 알게 된다고 하니 점점 더 내용이 궁금해지는군요.

박미향〉 무명씨는 작가와의 첫 만남에서
"어떻게 하면 분노를 조절할 수 있습니까?"
라며, 자신이 있었던 일을 이야기합니다. 차를 운전해 가던 중 신호등에서 갑자기 차가 끼어들었는데, 급브레이크를 밟았다고 합니다. 놀라기는 했지만, 가볍게 경적만 울리면 되는 상황인데도, 그는 몇 번이나 크게 경적을 울리고 급기야는 창문을 내리고 욕까지 했다는 것입니다. 그 뒤에도 화가 풀리지 않았다고 하는데, 나중에 생각해보니 그런 자신이 마음에 들지 않았다고 합니다. 그런 일들이 되풀이되면서 분노를 조절할 수 있으면 좋겠다고 생각하던 중, 명상하면 좋다는 이야기를 듣고 작가를 찾아왔다는 것입니다.

아나〉 분노는 스트레스를 받고 화를 참지 못하면 일어나는 것으로 생각하는군요. 명상하면 그런 분노 조절이 가능할까요?

박미향〉 예, 결국 이 책은 명상을 통해 고장 난 분노 조절 장치를 수리하는 과정을 보여주고 있습니다. 작가는 그런 그에게 자신과 함께 일주일에 한 번씩 만나는 명상 여행을 떠나보기를 권했습니다. 그것은 하루 15분 명상을 하고 일주일에 한 번씩 자신과 만나는 것입니다. 그리고 명상을 머릿속에 있는 보석을 찾는 것에 비유합니다. 보석을 찾으려면 연못의 물이 깨끗해야 합니다. 복잡한 세상일로 머릿속이 흙탕물처럼 흐려있으면 보석을 찾을 수 없다는 것이지요. 연못 물이 고요해질 때까지 기다리면 구슬은 절로 드러난다는 것이지요. 명상은 머릿속이 고요해질 때까지 기다리는 것과 같다고 말합니다.

아나〉 그 보석을 찾는 것은 분노 조절 장치를 수리하는 것을 의미하겠군요. 명상하면 분노뿐만 아닌 다른 감정들도 조절할 수 있게 될 거라는 생각이 드네요. 그렇다면 명상은 어떻게 하면 되는가요? 그 방법에 대해 말씀해주실 수 있나요?

박미향〉 예, 명상하는 방법에 대해 이 책은 아주 알기 쉽게 설명해주고 있습니다. 두 번째 만남에서 무명씨는 텔레비전에서 명상하는 자세를 보고 일주일 동안 따라 했는데, 너무 힘이 들었다고 말합니다. 그때 작가는 무명씨에게 명상하는 자세에 관해 설명해줍니다.
먼저 방석 한 장을 반으로 접어 엉덩이 밑에 끼웁니다. 그래야 자세가 안정적으로 됩니다. 그런 후 결가부좌나 반가부좌를 합니다. 결가부좌는 두 쪽 다리를 허벅지 위에 올리는 것이라 초보자는 취하기 힘든 자세입니다. 그래서 초보자에게는 반가부좌를 권합니다. 반가부좌는 한쪽 다리만 다른 쪽 다리의 허벅지 위에 올리는 것이라 결과부좌보다는 쉽습니다.
다음으로 중요한 것이 손의 모양입니다. 손 모양은 왼발이 위로 올라갔다면 오른손을 밑에 놓고 왼손을 그 위에 포갭니다. 오른발이 위로 갔다면 오른손이 위로 가게 합니다. 그리고 엄지손가락을 서로 맞닿도록 하면 됩니다. 이때 주의할 점은 발을 가끔 바꿔주는 것입니다. 이것은 몸에 흐르는 기를 순행하도록 해준다고 합니다. 이런 자세로 하루에 15분씩 정해진 시각에 정해진 장소에서 명상하면 된다고 합니다.

아나〉 듣고 보니 저도 할 수 있을 것 같습니다. 그런데 다른 주의할 점은 없는가요?

박미향〉 그에 대한 내용은 세 번째 만남에서 설명하고 있습니다. 세 번째 만남에서 작가는 무명씨에게 작은 집중표 하나를 줍니다. 검은 동그라미 안에 하얀 동그라미가 있는 것이었습니다. 명상할 때 이 집중표를 눈앞 적당한 곳에 놓고 시선을 하얀 동그라미 안에 고정해 보라고 말합니다. 시선을 한 곳에 고정하는 훈련을 하는 것이지요. 그 이유에 관해 설명해줍니다.
명상은 관념적으로 보고 생각하는 것이 아니라 강한 집중 상태에서 응시하여 사물의 실체를 투과하는 것이라고 합니다. 그러므로 명상하는 사람은 반드시 이 방법으로 응시하는 것을 가장 중요한 수칙으로 삼아야 한다고 합니다. 명상할 때 잡념에 빠지게 되면 가장 먼저 시선이 흩어진다고 합니다. 시선이 한 곳에 집중된 상태에서는 결코 잡념에 빠지지 않는다고 합니다. 그렇기에 시선을 한곳에 집중하는 것은 명상에서 너무나 중요하다고 합니다.
아나〉 집중표라는 것이 있었군요. 명상하는 자세로 집중표를 보면서 생각을 집중하면 명상을 할 수 있겠네요.

박미향〉 예, 무명씨는 일주일 동안 아주 열심히 명상했습니다. 반가부좌 자세를 한 뒤 몸에서 약 80㎝ 떨어진 곳에 집중표를 놓고, 집중표의 하얀 동그라미를 보고 있으면 그렇게 편안할 수가 없다고 했습니다. 마치 몸이 공중에 떠 있는 것처럼 가볍고 마음은 이해할 수 없는 행복감이 밀려와 그렇게 기분이 좋을 수 없었다고 했습니다. 그런데 명상을 하다 보니 자꾸 잡념이 생긴다고 했습니다.

아나〉 시선을 집중하고 명상을 하는데도 잡념이 생기는군요.

박미향〉 이것은 아주 당연하다고 말합니다. 명상하게 되면 깊은 호흡을 하게 되고 당연히 평소보다 많은 산소가 몸속으로 들어온다고 합니다. 그런데 몸은 가만히 있으니 산소 소비량은 오히려 줄어든다는 것이지요. 그만큼 여분의 산소가 많아져 가장 먼저 가는 곳이 뇌라고 합니다. 그러면 뇌가 활성화되며, 그것은 곧 활발하게 사고 활동을 하게 되는 것이라네요. 그래서 잡념이 생기는 것이며, 수많은 잡념이 떠오르면 '나의 뇌 기능이 활발해지고 있구나'하고 생각하면 된다고 합니다.

아나〉 잡념이 생기면 명상의 효과는 그만큼 떨어지는 것 아닐까요? 잡념을 없애는 방법도 알려주고 있나요?

박미향〉 예, 책에서는 잡념이 생기는 것을 바로 알아차리느냐, 알아차리지 못하느냐가 중요하다고 합니다. 알아차리면 그 생각은 곧 사라지게 된다고 합니다. 명상 도중 잡념을 이겨내는 방법은 '아, 내가 잡념을 하고 있구나'라고 깨닫고 얼른 그 잡념에서 빠져나오면 된다고 합니다. 잡념을 있는 그대로 받아들이되 그 순간 잡념의 생각을 멈추어 잡념을 자연스럽게 흘려보내는 것입니다.
무명씨는 명상하면서 이 방법을 사용했는데, 그것이 실생활에도 영향을 미쳤다고 합니다. 누군가 그에게 불친절하게 대해도 '이 사람이 좀 불친절하구나'라고 생각하고 생각을 흘려보내고 거기서 조금 더 생각을 발전시키지 않게 되었다는 것입니다. 그러다 보니 누군가 그에게 기분 나쁘게 대해도 금방 그 상황에서 벗어날 수 있었다고 합니다.

아나〉 생각을 흘려보내고 거기서 조금 더 생각을 발전시키지 않는다면, 화가 날 일도 줄어들겠네요. 그런데 살다 보면 모든 상황에서 생각을 흘려보내기는 어렵지 않을까요? 가령 자신의 의지로 통제할 수 없는 큰 사건이 벌어질 수도 있을 텐데요.

박미향〉 맞습니다. '생각 흘려보내기'와 '생각 멈추기'만으로 쉽게 떨쳐낼 수 없는 걱정거리가 있을 때, 그때 필요한 것이 호흡법이라고 말합니다. 호흡법에는 여러 가지가 있지만 가장 좋은 것은 복식호흡이라고 합니다. 바르게 앉은 자세에서 숨을 들이쉬면서 배를 볼록하게 만들고, 숨을 내뱉으면서 배를 오므리는 것이라고 합니다. 복식호흡은 초보자가 하기에 쉽지 않은데, 익숙해질 때까지 단전호흡해주면 좋다고 합니다.

단전호흡이란 아랫배의 단전으로 숨을 쉬는 것을 말합니다. 짧게 '흡' 하면서 숨을 들이마시고, '호'하면서 숨을 내쉬면 된다고 하네요. 이 호흡법은 일상생활에서 훈련하기 아주 좋다고 합니다. 걸어가거나 전철을 타고 갈 때마다 흡-호, 흡-호 하면서 연습을 할 수 있기 때문입니다. 그리고 단전호흡을 아주 천천히 하면 그것이 바로 복식호흡이 된다고 합니다.

아나〉 저도 단전호흡과 복식호흡에 대해 말로는 많이 들었는데, 오늘 그 방법을 알게 되었군요. 명상하는 자세와 집중표와 호흡법까지 들었는데, 그러면 무명씨는 명상을 통해 무엇을 깨달았을까요?

박미향〉 무명씨는 명상하면서 자신의 말이나 행동이 마치 거울을 들여다보듯이 보게 됩니다. 그러면서 '내가 그 상황에서 왜 그렇게 말했을까'하는 생각을 하게 되었지요. 어느 날 무명씨는 스스로의 모습을 관찰하다가 분노 조절이 안 되는 자신을 보게 됩니다. 그러면서 화가 나는 것과 화를 내는 것을 구분할 수 있게 되었다고 합니다. 화가 나는 것이 곧바로 화를 내는 것은 다른 것이며, 자신이 선택할 수 있게 된 것이지요. 화가 날 수는 있지만 그렇다고 해서 언제나 화를 내야 하는 것은 아니라는 사실도 알게 된 것이지요.

아나〉 명상을 통해 중요한 것을 깨달았군요. 특히 화가 나는 것과 화를 내는 것은 다르다는 것이 와닿네요. 그러면 이야기의 결말은 어떻게 되나요?

박미향〉 이야기의 결말 부분에 처음 이야기로 돌아갑니다. 자동차를 운전하고 가다가 끼어들기를 한 것은 작은 돌멩이를 하나 자신에게 던진 것에 불과한데, 그 사람에게 화를 내고 욕을 한 것은 핵폭탄으로 공격한 것과 같다는 것이지요. 그것이 불균형이라고 말합니다. 상황에 맞게 대응하는 것. 그것을 이 책은 균형감이라고 말합니다.

무명은 명상을 통해 고장 난 분노 조절 장치를 고칠 수 있었습니다. 그 모든 분노의 원인이 시간에 대한 집착, 자기 자신에 대한 집착이 그 원인임을 알 수 있게 된 것이지요. 하지만 분노 조절 장치는 앞으로도 얼마든지 고장 날 수 있습니다. 왜냐하면 사람에게 집착을 불러일으킬 수 있는 것은 너무나 많기 때문입니다. 그러므로 분노 조절 장치가 고장 나지 않고 균형감을 잘 유지하기 위해서는 깨달음만으로는 부족합니다. 늘 깨어 있는 연습이 필요합니다. 그것을 가능하게 하는 것이 명상이라 말합니다.

아나〉 명상에 대해 정말 많은 것을 알게 된 시간이었습니다. 15분이면 결코 긴 시간이라 말할 수 없는 시간인데, 이 정도의 시간으로 편안한 마음을 얻을 수 있다면 저도 한번 시도해봐야겠네요. 오늘 좋은 책 소개해주셔서 감사드립니다.

나의 하루는 4시 30분에 시작된다-김유진

박미향〉 오늘 소개해 드릴 책은 '나의 하루는 4시 30분에 시작된다'라는 책입니다. 이 책은 김유진 변호사의 수면시간을 줄이지 않으면서 새벽 기상을 실천하는 노하우와 그 시간을 내 것으로 만드는 노하우를 담은 책이에요.

최근에 20대~30대 사이에서 아침 일찍 일어나 일어난 시간을 인증하고, 그 시간에 운동하거나 공부를 하는 모습들을 SNS에 공유하는 게 엄청나게 유행이라고 해요. 2년 전까지만 해도 YOLO라고 해서 한 번뿐인 내 인생을 즐기는 것이 트랜드였는데, 지금은 자기 자신의 삶을 주도적으로 바꾸는 라이프 스타일을 가진 사람들이 많이 늘고 있다고 합니다. 이 책은 그 라이프 스타일에 관한 책이에요.

아나〉 새벽 4시 반 기상이라니 정말 대단하네요. 사람들은 어떤 방법으로 SNS에 새벽 기상을 인증하나요?

박미향〉 네 스마트폰 어플 중에 '타임 스탬프 카메라'라는 어플이 있어요. 이 어플은 사진을 찍는 어플인데, 그냥 사진을 찍는 것이 아니라 시간이 함께 찍혀서 나오는 어플이에요. 이 어플로 새벽에 일어나 김이 모락모락 나는 커피 사진이나, 운동하는 사진, 공부하는 사진을 찍어서 새벽 기상을 인증하는 거죠.
이 트랜드의 열기가 얼마나 뜨거운지 유명 SNS 어플에 새벽 기상이나 미라클 모닝이라는 단어로 검색을 해보면 40만 건이 넘는 게시물이 올라와 있더라고요.

아나〉 박미향 대표님께서는 아침에 언제 일어나시나요?

박미향〉 네 저도 평소에는 아침 7시~7시 반 사이에 일어나는데, 이 책을 읽고 나서부터는 새벽 기상을 실천하고 있어요. 아침 4시 30분에 일어나고 있죠. 처음에는 일찍 일어나는 게 정말 쉽지 않더라고요. 처음이다 보니 알람이 울려도 졸음이 쏟아져 혼쭐이 났었죠. 지금은 좀 더 수월하게 아침에 일어나고 있습니다. 이 책 '나의 하루는 4시 30분에 시작된다'를 읽어보시면 어떻게 하면 4시 30분에 일어날지, 그리고 그 시간을 나를 위한 시간으로 만들려면 어떻게 하면 좋을지 알 수 있을 거예요.

아나〉 와! 4시 30분에 일어나신다니 정말 대단하시네요. 이 책을 선정하신 이유는 무엇인가요?

박미향〉 네 우리는 평소에 시간이 없다고 흔히들 얘기합니다. 그래서 새해에 세웠던 새해 목표를 실행하거나, 책 읽기, 다이어트, 자기계발 등을 미루기도 하죠. 그런데 같은 24시간이라도 목표를 이루고, 자기 자신에 충실한 삶을 사는 사람들도 정말 많습니다. 직장을 다니면서 공부해서 더 좋은 직장을 가는 사람, 유튜브나 블로그로 추가적인 수

입을 얻는 사람, 다이어트에 단기간에 성공하고 여유롭게 시간을 보내는 사람들이 주변에 서 많이 볼 수 있습니다. 저도 책을 많이 읽으면서 자기계발을 나름 잘하는 사람이지만, 이런 사람들은 어떻게 하루를 의미 있게 보내는지 궁금해져서 더 찾아보게 되었어요.
그중에서 가장 쉽게 읽으면서 따라 할 수 있는 책이 바로 이 책, '나의 하루는 4시 30분에 시작된다.' 였어요. 그래서 이 책과 함께 새벽에 일어나면 어떤 점이 좋은지 청취자분들께 소개해드리고 싶어서 이 책을 선정하게 되었습니다. 저자가 하루하루 새벽 시간을 통해 많은 일을 해낸 것을 보며 저도 새벽 기상을 실천하게 되었고, 실제로 해보니 정말 좋더라고요!
하루를 두 번 사는 느낌. 정말 성취감과 만족감이 2배가 됩니다.

아나〉 새벽 시간이 얼마나 중요한지, 그리고 인생을 어떻게 바꾸는지 기대가 됩니다. 책 소개 전에 저자 소개 먼저 부탁드릴게요.

박미향〉 네 이 책의 저자는 김유진 변호사에요. 김유진 변호사는 미국 변호사 자격증을 2개나 가지고 있고 새벽 기상의 힘을 전하는 파워 인플루언서에요.
저자는 미국 에리모대학교 로스쿨을 졸업하고, 한 개도 따기 어렵다던 미국 변호사 자격증을 뉴욕과 조지아주 2곳에서 받았는데 그 비결이 새벽 기상이라고 합니다. 그리고 새벽 기상을 통해 수영을 배워서 전국체전 1등 상을 받고 영상 편집을 배워서 지금은 유튜버로도 활동하고 있어요. 처음에는 작은 흥미로 영상 편집을 시작했는데 지금은 19만 팔로워를 가진 유명 유튜버가 되었고, 새벽 기상 트랜드를 만든 사람 중의 한 명이라고 할 수 있죠. 작년 말에 tvN 프로그램 '유퀴즈 온 더 블럭'에도 출연해 새벽 기상을 통해 자신의 삶이 바뀐 이야기를 들려주기도 했었죠. 이때 더더욱 명성을 얻은 것 같아요.

아나〉 와 정말 대단하신 분이네요!

박미향〉 네, 정말 대단하신 분이죠. 심지어 얼굴도 이쁘고 나이도 어립니다. 커리어도 화려하고 자기계발 유튜버로 유명한 만큼 저자가 엘리트 코스를 걸었을 거로 생각하실 수도 있지만, 그 과정이 순탄치만은 않았다고 합니다.
어린 나이에 미국에 이민을 가다 보니 인종차별을 받기도 했었고, 원하는 로스쿨에 입학하기까지 큰 노력을 했다고 해요. 그리고 로스쿨 재학 중에는 '이 성적으로는 원하는 로펌에 지원서를 낼 수 없다'라는 이야기도 듣고, 처음 치른 변호사 시험에 떨어지기도 했죠. 그러다가 새벽 기상으로 자신만의 시간을 가지기 시작한 후부터 삶이 달라졌고 그 이야기가 이 책을 통해 재미있게 소개되고 있어요.
아나〉 네, 저자의 소개를 듣다 보니 책 내용이 더 궁금해집니다. 책 소개 부탁드릴게요

박미향〉 네, 이 책은 김유진 변호사가 새벽 기상을 통해 자신의 삶을 바꾼 경험을 토대로 쓴 자기계발서에요. 총 16가지의 챕터로 이루어져 있는데 새벽에 어떻게 일찍 일어나는지, 어떻게 새벽을 자신만의 시간으로 즐기는지, 새벽에 무얼 하면 좋을지에 관한 이야기가 주된 내용이에요. 하루를 새벽부터 일찍 시작하다 보니 결국에는 자기 삶의 주

도권을 내가 가질 수 있고 여유로운 시간을 많이 가질 수 있다고 합니다. 또 이 책은 자기계발서이면서도 저자의 진솔한 경험이 담겨 있어서 에세이처럼 쉽고 빠르게 읽을 수 있습니다. 저도 몇 시간 만에 단숨에 읽었습니다.

아나〉 네 우리가 정말로 어려워하는 것 중의 하나가 새벽 기상인데 어떤 방법을 소개해주고 있나요?

박미향〉 네, 새벽 기상의 가장 중요한 점은 수면시간을 줄이지 않는 거라고 합니다. 똑같이 6시간 수면을 하더라도 수면시간을 앞당겨 새벽 기상을 할 수 있도록 하는 게 첫 번째라고 하더라고요. 그러니까 새벽 4시 반에 일어나려면 10시나 11시에 자야 하는 거죠. 왜냐하면 새벽 기상을 나의 삶에 정착시켜가려면 매일매일 일찍 일어나야 하는데 수면시간을 계속 줄여서 일찍 일어나다 보면 건강한 새벽 기상을 하기 힘들기 때문이죠. 그리고 숙면을 하기 위해 향을 피우거나 따뜻한 물로 샤워하고, 내일 하루의 계획 세우기를 하면서 새벽을 준비하는 시간을 가지는 것도 새벽 기상을 위한 좋은 방법이라고 소개하고 있어요. 그리고 또 하나의 중요한 비결이 있습니다.

아나〉 그 비결이 뭐죠?

박미향〉 저자가 생각하기에 새벽 기상에 성공하는 사람과 실패하는 사람의 차이는 바로 '무엇을 보상으로 해석하는가'라고 해요. 새벽 기상을 수월하게 해내는 사람은 아침에 일찍 일어나 생긴 여유 시간에 자신의 꿈을 이루거나 추가 자유시간을 확보했다는 것 자체를 큰 보상으로 여긴다는 거죠. 반면에 새벽 기상에 실패하는 사람들을 보면 새벽 기상 장점(보상)을 느끼지 못하고, 피곤하여서 차라리 그 시간에 푹 자는 것이 보상이라고 생각을 합니다.

저도 바로 이 생각의 차이가 새벽 기상을 할 수 있는 가장 중요한 열쇠라고 생각해요. 생각을 바꾸고 새벽 시간이 소중해지니까 아침에 일어나는 게 더 쉬워지는 걸 실제로 경험하기도 했고요.

아나〉 네 그렇군요. 새벽 기상은 일찍 일어나는 것 이상으로 어떤 의미가 있을까요?

박미향〉 저자에게 새벽 시간은 주도적으로 공부할 수 있는 시간, 모자란 시간을 채워주는 시간이었고, 도전의 시간이자 치유의 시간이었다고 해요. 새벽 기상은 일찍 자고 일찍 일어나는 거로 단순하게 보일 수 있지만, 저녁에 불필요한 시간을 줄이고 새벽에 시간을 갖는 것이 큰 도움이 된다고 합니다.

그 시간에는 아무도 자기를 찾지 않고, 자기도 필요로 하는 사람이 없으므로 온전히 나와의 대화를 할 수 있는 기회를 가질 수가 있다고 합니다. 저도 운동이나 독서 같은 목표를 항상 계획하는데, 그게 실천이 잘 안 되더라고요. 왜냐하면 계획을 아무리 세워놓아도 우리의 삶은 변수가 너무 많아 매일매일 실천하기가 힘이 듭니다. 저녁에 운동을 하러 가야 하는데, 친구에게 전화가 오기도 하고. 회식이나 야근이 생기기도 하고요.

그 반면 새벽에는 그 누구도 방해되지 않는 나만의 시간이 확보되는 것이 큰 장점이라는 거죠, 새벽 기상을 해보시면 아실 거예요. 새벽의 고요함과 모두 잠든 시간에 깨어 있음이 묘한 성취감과 함께 에너지를 불러일으켜 주더라고요. 저자는 새벽 기상을 하기 전에는 아무리 쉬어도 에너지가 채워지지 않고 생활도 점점 엉망이 되어가고 있었는데, 어느 날 새벽에 일찍 일어나 묘한 안정감을 느끼고 삶을 정리해보면서부터 변화가 시작되었다고 합니다.

아나〉 네, 우리는 새벽 시간을 통해 어떤 것을 할 수 있을까요?

박미향〉 네 저자는 새벽 시간에 밀린 업무를 하거나, 운동, 독서, 취미 활동, 새벽 공부 등을 추천해주고 있어요. 특히 저자는 새벽 운동을 통해서 공부할 때 찐 10kg의 살을 빼 다이어트에 성공했고, 새벽에 취미 활동으로 조금씩 영상 편집을 배워서 지금은 유튜버로도 활동하고 있죠.
새벽 시간은 사람마다 무궁무진하게 쓸 수 있을 거 같아요. 그리고 제가 이 책에서 특히 좋았던 점은 새벽에 일어나서 무엇인가 하려고 애쓰지 말라는 겁니다. 우리는 무엇인가 생산적인 일을 하려고 노력하고 애쓰는데, 아까 이야기했듯 새벽 시간은 추가 자유시간입니다. 꼭 공부하거나 업무를 보지 않아도 그냥 여유롭게 책을 읽거나 음악을 듣거나 나를 위해 놀아도 된다는 것이죠. 각자 일어나서 내 인생에 무엇이 중요한가 생각해보고 정리해보면 나만의 새벽 시간을 만들 수 있을 겁니다. 많은 분이 이 새벽 기상, 나만의 새벽 시간 루틴 통해 꿈을 이루고 목표를 달성할 수 있기를 기원할게요!

아나〉 네 책 소개와 정말 좋은 말씀 감사합니다. 혹시 이 책과 함께 읽으면 좋은 책이 있을까요?

박미향〉 네'미라클 모닝'이라는 책을 소개해 드리고 싶습니다. 저자인 할 엘로드는 김유정 변호사 못지않게 힘든 시절을 겪었고 새벽 기상을 통해 어려움에서 벗어날 수 있었다고 합니다. 이 책은 그 경험을 토대로 아침 일찍 일어나 자기계발을 하는 것의 중요성을 말하고 있는 책이에요. 아까 말씀드렸던 것처럼 새벽 기상이 어떤 보상으로 여길지가 중요한데 일찍 일어나 자신만의 시간을 통해 자기계발을 한다는 이 책을 함께 읽는다면 새벽 기상이 좋은 점을 더 알아볼 수 있을 거 같습니다

노인과 바다-헤밍웨이

박미향〉 이번 책은 〈노인과 바다〉입니다. 어니스트 헤밍웨이의 불후의 고전이죠. 〈노인과 바다〉는 너무나도 유명해서 읽어보시지 않은 분들이라도 제목은 알고 계실 겁니다.

아나〉 노인과 바다. 아마 대한민국 사람이라면 제목은 다들 알고 계실 거 같네요.

박미향〉 〈노인과 바다〉는 짧지만 강렬한 소설이라 저도 여러 번 읽어 보았는데요. 읽을 때마다 새로운 감동을 하곤 했어요. 청취자 여러분도 감동을 함께하실 수 있도록 오늘 소개해 드리려고 합니다. 그런데 너무 유명하다 보니 나중에 한 번 읽어봐야 한다고 생각하다가 못 읽으신 분도 생각보다 많더라고요. 그런 분이라면 오늘 저의 책 소개 들으시고 나중에 꼭 한 번 읽어보시면 좋겠네요.
고전하면 대개 두껍고 지루해서 어려워하시는 분들이 많으신데요. 이 책은 150p지 밖에 되지 않는 짧고 얇은 책이어서 가볍게 읽기 좋으실 거라고 생각됩니다. 처음부터 책으로 나온 것이 아니고 라이프라는 잡지에 실렸는데 이틀 만에 500만 부나 팔려 급하게 단행본으로 나온 책이라고 하네요.

아나〉 노인과 바다는 어떤 감동이 우리를 기다리고 있을지 기대됩니다. 책 소개 전에 작가인 어니스트 헤밍웨이에 관해 소개 부탁드립니다.

◇박미향〉 네 〈노인과 바다〉를 읽기 전에 헤밍웨이에 대해 알고 읽으시면 훨씬 도움이 되실 거예요. 헤밍웨이는 1899년에 미국에서 태어났어요. 아버지는 의사, 어머님은 성악가로 좋은 환경에서 자랐습니다. 1923년 24살에 처음 작품활동을 시작했는데 3년 만에 〈태양은 다시 뜬다〉라는 작품으로 주목받기 시작했죠. 그리고 〈무기여 잘 있거라〉, 〈킬리만자로의 눈〉, 〈누구를 위하여 종을 울리나〉 등을 차례로 발표하면서 큰 사랑을 얻습니다.

아나〉 헤밍웨이가 〈노인과 바다〉뿐만 아니라 명작을 많이 남겼군요.

박미향〉 네, 그중에서도 〈노인과 바다〉가 가장 유명하죠. 1952년에 쓰인 대표작 〈노인과 바다〉는 1953년에 퓰리처상을 받고, 1954년에는 노벨 문학상을 받았어요. 이렇게 노벨 문학상을 받고 수많은 찬사를 받을 수 있었던 이유는 그의 작품이 뛰어난 것도 있지만, 다른 작가들이 직접 경험하기 힘든 인물들의 삶을 겪었던 경험이 밑바탕에 있었던 거죠.

아나〉 어떤 경험을 했죠?

박미향〉 헤밍웨이는 '마초'로 대표되는 이미지로 한평생을 살아온 작가예요. 세계 1차 대전에도 참전하고, 격렬한 운동과 야외활동을 즐겼죠. 쿠바에 거주하면서 낚시를 즐기고 어부들의 삶을 경험하면서 그들이 힘들게 일하는 모습을 수도 없이 지켜보았다고 합니다. 이런 경험이 작품에도 묻어나 글의 문체에도 많은 영향을 끼쳤다고 합니다. '하드보일드'라는 문체인데, 짧고 간결하게 객관적인 사실을 전달하는 문체로 작품을 읽어보시면 힘 있고 역동적인 느낌을 받으실 수 있을 거예요.

아나〉 사진으로 헤밍웨이 얼굴을 본 적이 있는데 정말 강렬한 인상을 받고 있더라고요. 정말 '마초'다운 얼굴이었어요.

박미향〉 헤밍웨이는 생의 마지막도 정말 강렬했어요. 1962년에 엽총으로 자살함으로써 생을 마감했거든요.

아나〉 어쩌다 마지막에 자살하게 됐죠?

박미향〉 〈노인과 바다〉로 노벨 문학상을 받은 이후 글이 잘 서지지 않게 되어서 신경쇠약과 우울증에 걸린 게 가장 큰 이유였죠. 큰 비행기 사고를 2번이나 겪으면서 후유증으로 신경쇠약이 시작되었는데, 본인이 FBI 감시를 받고 있어 글이 제대로 써지지 않는다는 고민으로 오랜 시간을 보내게 됩니다. 작가로 살아가는 자신이 이제는 글을 쓰지 못한다는 사실을 알게 되었고 삶에 대한 의지를 잃어버릴 수밖에 없었죠.

아나〉 인생도 정말 강렬했군요. 작가가 글을 쓰지 못하면 절망감에 빠질 수밖에 없을 거 같네요. 헤밍웨이의 마지막 작품 〈노인과 바다〉. 어떤 작품이죠?

박미향〉 네, 〈노인과 바다〉의 줄거리를 먼저 소개해 드릴게요. 주인공인 늙은 어부 산티아고는 84일이나 고기를 잡지 못해요. 그래서 사람들은 그의 운이 다했다고 말했지만, 그는 포기하지 않고 다시 바다로 나가게 되죠. 먼바다까지 나간 산티아고는 마침내 거대한 물고기 한 마리와 맞닥뜨립니다. 그렇지만 이 물고기를 한 번에 잡지는 못해요. 산티아고는 혼자 작은 나무배를 타고 나갔고 손으로 줄을 당겨 물고기를 잡아야 했기 때문이죠.
산티아고는 그의 조각배보다 더 크고 힘이 센 물고기를 잡기 위해 이틀 밤낮을 꼬박 싸운 끝에 드디어 길이가 5.5m 가까이 되고 무게가 700kg가량 되는 엄청나게 큰 청새치를 잡는 데 성공하죠. 이때 이틀 밤을 꼬박 새우며 힘이 센 청새치와 기 싸움이 시작되는데요. 밀고 당기기죠.

낚시의 기술인데요. 너무 빨리 잡아당기면 안 되거든요. 또 배보다 큰 물고기를 잡아 올리려면 엄청난 기술이 필요로 했겠죠. 이때 청새치와의 시름하며 고독한 노인의 독백, 또 물고기에게 욕도 하고 사과도 하면서 나눈 대화가 정말 이 책의 묘미라고 할 수 있습니다. 아까 처음 이야기했던 '하드보일드 문체'기억나시죠? 짧고 간결하게 객관적인 사실을 전달하는 문체로 작품을 읽어보시면 힘 있고 역동적인 느낌을 받으실 수 있을 거예요.
그렇지만 이렇게 이틀을 꼬박 새워 잡은 청새치를 산티아고는 가지고 돌아가지 못합니다.

아나〉 왜죠?

박미향〉 산티아고는 배 옆에 청새치를 매달고 집으로 돌아가고 있었어요. 그런데 청새치의 피 냄새를 맡은 상어들이 몰려들어 청새치를 뜯어먹기 시작한 거죠. 필사적으로 청새치를 지키기 위해 상어와 싸워보지만, 상어들의 연이은 공격을 받고 청새치는 뼈와 대가리만 남게 됩니다. 산티아고는 결국 빈손과 지친 몸으로 집에 돌아와 깊은 잠에 빠져들게 되고 이야기는 끝이 납니다.

아나〉 와! 이야기를 짧게 요약해서 들려주셨는데 정말 생동감 있네요.

박미향〉 이 책은 생동감뿐만 아니라 초현실적 느낌 마저 드는데요. 이야기의 반이 물고기와 바다, 상어, 밤과 별 이야기뿐입니다. 또 바다와 사투하는 늙은 어부의 모습에서 삶의 의미와 인간이 겪는 좌절과 실패를 한 권에다가 담는다는 게 정말 어려운데 헤밍웨이는 그걸 해냈기 때문에 지금까지 최고의 명작으로 손꼽히는 것이 아닐까 생각합니다.

아나〉 〈노인과 바다〉를 통해 우리가 생각해볼 수 있는 건 어떤 게 있을까요?

박미향〉 〈노인과 바다〉를 읽고 난 뒤 존재의 의미는 어떤 것일까? 라는 질문을 하게 되었어요. 주인공 산티아고는 어부이기 때문에 엄청나게 큰 물고기 잡는 것을 행운이자 존재의 의미라고 여긴 거 같았어요. 84일이나 물고기를 잡지 못했지만, 희망을 잃기는커녕 앞으로 운이 좋아 큰 물고기를 잡을 거라고 했었죠. 그리고 청새치를 잡는 과정에서 온갖 고난에도 불구하고 꿋꿋하게 인내하며 버티죠. 이런 불굴의 의지를 통해 승리를 거두는 모습을 보여주죠. 이를 통해 존재의 의미가 우리에게 살아갈 힘을 주고 역경을 극복할 수 있도록 해준다는 걸 알 수 있었어요.

아나〉 그렇게 힘들게 잡은 청새치가 상어에게 다 먹혀버렸을 때는 정말 허무했을 거 같아요.

박미향〉 네, 맞아요. 바다 한가운데서 외롭게 피를 흘려가며 잡은 물고기가 잡히자마자 없어져 버린다면 정말 괴로울 것 같아요. 그렇지만 본문에 보면 "희망을 잃어버린다는 것처럼 어리석은 일은 없어" 망망대해에서 고립되어, 고독과 외로움으로 길을 잃어도 끝내 희망을 잃어버리지 않는 개인이 얼마나 아름다운 존재인가인지를 생각해보는 보게 되더라고요.

아나〉 우리가 힘든 일이 있어도 희망을 잃지 않고 하루하루를 최선을 다해 살아가는 경험과도 같을 수 있겠네요.

박미향〉 네. 주인공 산티아고는 모든 걸 빼앗긴 와중에도 이를 담담하게 받아들이고 집으로 돌아가는 모습을 보여줍니다. 책 속에 노인은 이런 말을 합니다.
"파멸할 수는 있지만, 패배는 하지 않는다."
여기에서 파멸이란 어려움을 상징하겠죠. 또 패배하지 않는다는 것은 이런 어려움의 과정에서 최선을 다하는 우리의 모습을 의미하는 것이고요.

이렇게 불가능해 보이는 것을 대상으로 싸움하는 것을 보면 슈퍼 히어로가 생각나는데, 이 소설에 나오는 노인은 슈퍼맨처럼 외계인도 아니고 배트맨처럼 돈이 많지도 않고요. 캡틴 아메리카처럼 사명감도 없습니다. 노인은 그냥 평범한 노인입니다. 우리의 모습이겠지요. 그냥 자신의 인생을 하루하루를 살아내는 것, 이것이 우리가 살아가는 생활 속에 히어로가 아닐까 하는 생각이 듭니다. 여기 나오는 노인처럼 말이죠.
우리는 큰 실패를 겪게 되면 좌절에 빠지게 되는데 노인은 며칠 쉬고 나면 언제 그랬냐는 듯 다시 바다로 나가 주어진 삶에 최선을 다하며 살아갑니다. 이런 삶의 태도에서 배울 점이 있다고 합니다. 우리는 아무리 힘들어도 앞으로 나아가야 하는 존재이기 때문이죠.

아나〉 네 책 소개와 정말 좋은 말씀 감사합니다. 혹시 이 책과 함께 읽으면 좋은 책이 있을까요?

박미향〉 네 이번에는 책 소개보다는 〈노인과 바다〉 애니메이션을 소개해 드리고 싶어요. 이 작품은 알렉산더 페드로프의 작품으로 헤밍웨이 탄생 100주년 기념하여 만들었다고 합니다. 20분짜리 단편 애니메이션인데 유화로 그려져 매우 아름다운 작품이에요. 작가는 4년 동안 29,000여 장의 그림을 그려 애니메이션을 만들었다고 해요. 〈노인과 바다〉를 읽어도 잘 상상이 되지 않았다면 이 영상을 보는 것도 정말 좋을 거 같습니다. 애니메이션이지만, 책 속 주인공의 감정과 분위기가 정말 생생하게 느껴지거든요. 유튜브에서 〈노인과 바다〉라고 검색해보시면 쉽게 보실 수 있으실 겁니다.

소금-박범신

박미향> 박범신 작가의 '소금'을 소개하려 합니다. 2013년도에 출판된 '소금'은 자본주의의 폭력적인 구조와 아버지의 희생을 다룬 장편소설이에요. 사람은 누구나 아버지가 있죠? 여러분의 아버지는 어떤 분인가요? 오늘은 이러한 주제를 가지고 이야기 나누어 봤으면 좋겠습니다. 사회적 거리 두기가 한창인 요즘, 가족들 간의 거리에도 많은 변화가 있죠. 집에 있는 시간이 늘어 함께하는 시간이 더 많은 가족도 있고, 도시 간의 이동이 제한되면서 멀어진 경우도 있겠죠. 이런 변화가 생기면서 더욱 중요해진 가족 간의 관계를 한 번 더 생각해보고자 이 책을 선정하게 되었습니다.

아버지. 내가 아버지라고 부르는 사람도 있고 내가 아버지인 사람도 있을 겁니다. 사람마다 아버지와의 관계가 다르겠지만 이 책을 읽고 오늘은 아버지에 대해, 또 자신이 아버지라면 자식과 내 가족을 생각해보는 계기가 되었으면 좋겠네요.

아나> 박범신 작가는 우리나라의 대표적인 소설가 중 한 명이죠. 작가를 소개해주시겠어요?

박미향> 네, 영원한 청년 작가로 불리는 박범신 작가는 1973년에 '여

름의 잔해'라는 작품으로 등단했어요. 등단 이후 빛나는 상상력과 역동적 서사가 어우러진 화려한 문체로 근대화 과정에서 드러난 한국 사회의 본질적인 문제를 밀도 있게 그려낸 다수의 작품을 발표하며 수많은 독자를 사로잡았죠. 대표작으로는 '촐라체', '고산자', '은교' 등이 있습니다. 특히 소설 '고산자 대동여지도'와 '은교'는 영화화되어 우리에게도 아주 친숙한 작품입니다.

아시나요? 이 두 작품? 고산자에 대동여지도는 차승원 씨가 주연을 맡아 멋지게 연기해 주셨고요. 은교는 한때 센세이션을 일으켰던 작품이었죠? 문단에서 존경받는 노시인과 스승을 질투하는 패기 넘치는 제자, 열일곱 소녀를 서로 탐하는 파격적인 내용이에요. 영화는 홍보를 위해 파격적인 설정 부분을 강조하는 반면 책을 읽어보면 연로한 시인과 열일곱 여중생의 풋풋한 감정을 정말 아름다운 문체로 묘사되어 있어 역시 박범신 작가 답다라는 생각이 절로 나요. 책으로 읽어보시는 걸 적극 추천해 드립니다.

필력이면 필력, 이야기 자체가 몰입도가 굉장히 뛰어나 마치 제가 작품 속 안으로 들어가 제삼 인칭으로 모든 걸 지켜보는 것 같은 느낌마저 드는 작가입니다. 어떻게 이걸 직접 경험하지 않고 이렇게 글을 잘 쓸 수 있을까 하는 생각이 드는 작가. 진정 이야기꾼이라고 할 수 있습니다.

아나〉 네, 그렇군요. 대표님께서 가족 간의 관계에 대해 돌아보고자 한다고 하셨습니다. 아버지를 주제로 한 소설인 이 책을 선정한 이유는 무엇일까요?

박미향〉 그동안 잘 인식하지 못했던 우리의 아버지를 생각해보고자 이 책을 선정했어요. 특히 이 책은 자본주의의 시스템 안에서의 아버지의 책임을 부각하고 있어서 아버지라는 존재를 더욱 이해하는 데 도움이 됩니다.
아버지는 일함으로써 돈을 벌고 우리 가정에서 생계를 책임지는 위치죠. 물론 가족마다 차이는 있겠지만 오늘도 많은 아버지가 가족을 위해 열심히 일하고 계십니다.
저희 아버지도 평생 40년 동안 한 회사에 다니시면서 저희를 키우셨거든요. 지금 생각해보면 그것이 너무 대단한 일인데 그땐 너무나 당연하게 여겨왔고 "아빠니까" "당연하지" 하면서 살았던 것 같아요.
그런데 이 책을 읽고 이제까지 우리는 아버지의 존재를 너무 당연시해온 것인지도 모른다고 생각하게 되었어요. 가부장적인 분위기가 팽배해 있는 사회에서 엄마와 며느리의 역할이 강요되었고, 이를 주제를 다룬 작품이 많이 나왔고 사회적으로도 이슈가 되었습니다. 덕분에 분위기가 조금씩 바뀌게 되었고 여성의 역할과 지위에 변화가 많아졌죠.

그에 반해 아버지의 책임감은 비교적 이야기되고 있지 않은 거 같아요. 많은 아버지가 가족을 떠나 직장에서 일하고 그 대가로 돈을 벌어와 가장의 책임을 지고 있어요. 성과를 내야하고, 회사에 이익이 되도록 고민하고, 상사와 부하직원과의 관계를 고민하는 등 아무리 어렵고 힘든 일이 있더라도 당장 직장을 그만둘 수가 없죠. 직장에서 잘리거나 회사를 나오게 된다면 우리 가족들은 내일부터 무엇을 먹고살아야 하나 고민하게 됩니다. 그러니 묵묵히 그 책임을 다하고 있어요.

우리에게 가족은 정말 중요한 존재입니다. 부모님은 나를 있게 해준 존재이자 가장 가까운 존재죠. 많은 시간을 함께 보내면서 힘이 되기도 하고 어떨 때는 서로에게 괴로움을 안겨주기도 합니다. 괴로움을 안겨주는 것조차도 애정이 있고 소중한 존재이기 때문에 그럴 수 있어요. 이렇게 중요한 가족이 우리에게 어떤 의미가 있는지 생각해본다면 기존의 관계가 더욱 가까워지고, 안 좋았던 관계가 개선될 수 있다고 생각해요.

아나〉 책 내용도 간단하게 설명해주시죠.

박미향〉 이 책의 주제는 앞서 말씀드린 것과 같이 아버지의 희생과 자본주의의 폭력성이에요. 아버지가 가족들을 위해서 어떤 희생을 치르며 삶을 살아가는지가 소설에서 계속 이야기되고 있어요. 소설의 특이한 점은 등장인물들의 이야기와 함께 등장인물들 아버지의 이야기가 다루어진다는 거예요. 거의 모든 등장인물 아버지의 이야기가 나오는데 등장인물들의 이야기가 흘러가는 중간중간 각자 아버지의 이야기가 나오는 형식이죠.

주요 등장인물은 아버지의 가출로 인해 가족이 해체된 경험이 있는 서른 살 선시우, 선시우의 아버지의 실마리를 찾아가는 시인, 그리고 선시우의 아버지 선명우입니다. 특히 선명우의 이야기가 이 소설의 핵심이에요. 선명우가 어린 시절 겪었던 아들의 책임, 첫사랑과 직장생활, 그리고 가출 이후의 자유로운 삶이 이야기의 뼈대가 됩니다.

아나〉 소설은 첫 시작이 중요한데 어떻게 이야기가 시작되나요?

박미향〉 책의 주요 배경은 충청남도 강경이에요. 시인은 강경에 있는 한 폐교에 있는 배롱나무를 보기 위해 안으로 들어가게 되고 그곳에서 마침 아버지가 졸업한 학교를 보기 위해 온 선시우를 만나게 되면서 이야기가 시작되죠. 이렇게 만난 선시우가 10년 전에 가출한 아버지를 찾아다닌다는 것을 알게 된 시인이 아버지인 선명우라는 인물을 찾아내게 됩니다. 시인은 선명우를 청동 조각이라고 부르죠. 그러면서 등장인물들의 이야기와 그들의 아버지들의 이야기들을 하나씩 들려줍니다. 아주 매끄럽게 말이죠. 박범신 작가는 이 이야기를 한 누군가에게 듣고 이야기를 쓴 거라고 하는데요. 어떻게 직접 경험하지 않고 이렇게 자세하고 디테일하게 글을 썼는지 신기할 정도로 이야기를 맛깔나게 재미나게 전개하고 있습니다.
소설은 크게 세 부분으로 나누어져요. 처음으로 선시우의 20번째 생일날 아버지 선명우가 갑작스럽고도 원인을 알 수 없는 가출을 하게 되면서 선시우의 가족이 해체되게 됩니다. 시인이 선명우를 만나게 되고 처음에는 미스터리였던 선명우가 가출하게 된 이유와 어린 시절을 말해주는 게 두 번째 부분이죠. 그리고 마지막으로 선명우의 가출 이후의 삶이 이야기되고 그 이야기들은 다시 현재와 만나게 됩니다.

작가의 표현을 빌리자면 아버지 선명우는 원치 않는 결혼 이후 아내와 세 명의 딸들의 통장으로 살아가게 됩니다. 부잣집의 아내는 소비를 멈추는 법을 몰랐고 결코 따라잡을 수 없는 가족들의 소비를 위해 죽어라 일을 하죠. 머나먼 사우디아라비아에서 5년간 출장을 가기도 하고 후배들에게 치여가며 상무 이사의 자리까지 오르게 되죠. 그렇게 열심히 일하며 돈을 벌지만 엄청난 과소비를 하는 가족들 때문에 통장은 늘 모자라죠.
그러다가 막내딸 시우의 생일날 우연히 사고에 휘말리면서 가출을 하게 됩니다. 가출하게 된 선명우는 처음에는 걱정하다가 이내 가족을 떠나게 됩니다. 그 이후 새로운 가족을 만나 아름다운 산과 강, 전국의 축제를 찾아다니면서 생명력 있는 삶을 살아가게 됩니다. 축적되어 있는 잉여재산이 과소비를 부르고 욕망을 키운다며 돈이 생길 때마다 맛있는 것을 사 먹고 필요한 만큼만 돈을 벌게 되지요. 그러자 오히려 돈을 많이 벌 때보다 더 여유로워지고 자기 자신을 느낄 수가 있게 됩니다.

아나〉 네 그렇군요. 앞에서 우리의 아버지에 대해 생각해보자 하셨습니다. 어떤 부분을 중점으로 생각을 해보면 좋을까요?

박미향〉 우리의 아버지도 한 명의 사람이라는 것, 이것을 인식하는 것에서 출발하면 아버지를 이해하는 데 도움이 많이 될 거 같아요. 선시우의 아버지, 선명우의 아버지, 시인의 아버지는 각자 잘하는 것도 있고 꿈도 가지고 있었죠. 하지만 그들은 자의로 타의로 그들의 꿈을 포기하고 자식들의 성공을 위해 힘든 일들을 계속해갔습니다. 그러다 보니 자식들은 아버지의 이름조차 모르고 아버지는 아버지일 뿐이라고 얘기하고 있습니다.
아버지와의 대화를 통해 어떤 과거가 있었는지, 어떤 꿈을 꾸었었고 지금은 어떤 생각을 하고 있는지 알게 된다면 더 돈독한 사이가 되고 한 명의 인간으로 존중해주는 사이가 될 수 있지 않을까요?

아나〉 네 좋은 말씀 감사합니다. 정말로 아버지와의 대화, 그리고 가족 간의 대화가 더 많아지면 평소 힘들게 느껴지는 것도 많이 줄어들지 않을까 싶습니다. 마지막으로 책에서 가장 인상 깊었던 구절 있으면 하나씩 소개해주실 수 있을까요?

박미향〉 가장 인상 깊었던 부분은 시인이 선명우에게 안겨서 '나도 아버지가 필요해요!'라고 소리치는 장면이었어요. 그 부분을 읽으면서 이 소설의 하이라이트 부분이지 않을까 생각이 들었어요. 마지막 부분에 선시우는 시인의 아이를 배게 되는 시인에게 내가 알아서 잘 키울 테니 걱정 말라고 하며 사라지죠. 시인은 선명우를 찾아가 술잔을 기울이게 되는데 시인은 결국 술에 취해 아버지가 되는 게 두렵다고, 자기 자신도 아버지가 필요하다고 외칩니다. 시인의 마음이 느껴지자 마음이 뭉클해지면서 어쩌면 우리가 모두 자신을 보호해줄 존재가 필요하지 않을까 생각해볼 수 있었습니다.

아나〉 네, 가족과 얘기를 통해 평소에 어려움이 없는지 물어보고 대화를 해보면 좋겠다는 생각이 드네요. 혹시 이 책과 관련되어 추천해주실 다른 책이 있으실까요?

박미향〉 신경숙 작가의 '엄마를 부탁해'라는 책을 추천합니다. 이 소설은 시골에서 올라온 엄마가 서울역에서 실종되면서 시작됩니다. 실종된 어머니를 찾는 가족들이 엄마의 흔적을 쫓으면서 자신들의 기억과 미처 몰랐던 엄마의 삶 전체를 복원해 나가는데 그 과정이 흥미롭게 쓴 책입니다.

이 소설 역시 우리가 평소에 너무나 당연하게 여겨서 생각해보지 않았던 엄마라는 존재를 새롭게 보게 합니다. 엄마의 삶을 찾아보다 보면 나도 모르게 눈물을 쏟게 됩니다. 이 책을 읽으면 저도 철철 울었던 기억이 납니다. 저도 어머니께서 갑자기 암으로 돌아가신 경험이 있는 터라 이 소설이 굉장히 와닿았거든요. 항상 옆에 있다 보니 그 소중함을 몰랐던 거죠. 박범신 작가의 '소금'과 함께 신경숙 작가의 '엄마를 부탁해'를 함께 읽는다면 우리의 어머니, 아버지를 한 번 더 생각해볼 수 있는 좋은 시간이 될 것 같습니다.

역사의 쓸모-최태성

박미향〉 어린 사람 늙은 사람 할 것 없이 코로나로 인해 힘겨운 2년을 보내왔던 것 같습니다. 코로나 관련 책도 읽어보고 매일 뉴스, 신문을 찾아보며 마음을 졸이고 있을 때 문득 이런 생각이 들었어요. 100년 전, 1,000년 전에 살았던 사람도 저와 같은 고민을 하고 비슷한 위기를 겪고, 또 극복해 냈을 것이라는.

어쩌면 역사가 우리가 나아가야 할 방향을 알려주는 나침반이 되어주지 않을까? 하는 생각을 하게 되었습니다. 그래서 책을 좀 찾아봤는데요. 그중에서 요즘 가장 핫한 최태성 선생님의 '역사의 쓸모'라는 책을 소개해 드리고자 합니다.

아나〉 역사를 통해서 답을 찾을 수 있다니 벌써 기대가 됩니다. 책 소개 전에 저자인 최태성 선생님의 소개 부탁드릴게요.

박미향〉 네, '역사의 쓸모'는 한국사 강의로 유명하신 최태성 선생님께서 쓰신 책이에요.

아나〉 한국사 강의하면 대한민국에서 유명하신 분 설민석 씨가 먼저 떠오르는데 이분도 유명하신 분인가 봐요.

박미향〉 네, 한국사 하면 설민석 씨가 제일 먼저 떠오르시죠? 대중적으로는 설민석 씨가 유명하지만, 이분은 특히 수험생들에게 유명한 분입니다. 수험생들이 가장 즐겨보는 EBS 한국사 일타강사! 믿고 보는 큰별샘으로 설민석 씨와 쌍두마차를 이룰 만큼 유명하신 분입니다.
최태성 선생님은 2016년까지는 고등학교에서 교사로 재직하시다가 지금은 EBS와 이투스에서 한국사 강사로 활동하고 계세요. 선생님의 강의는 단편적인 사실관계를 전달하는 데 그치지 않고 역사의 본질을 파고듭니다. 그리고 눈물을 쏙 빼게 만드는 가슴 뭉클한 이야기로 역사가 암기과목이 아니라 사람을 만나는 인문학이라는 것을 깨닫게 만드는 것이 이 선생님의 매력인데요.
선생님은 모든 강의의 1강에서 '역사는 왜 배우는가'라는 화두를 던지는 것을 시작으로 역사를 공부할 때는 무엇보다 먼저 "왜"라고 묻고, 그 시대 사람과 가슴으로 대화하며 답을 찾아야 한다고 강조하며 진정성 넘치는 태도로 듣는 이에 가슴을 뜨겁게 만듭니다. 재미있고 이해하기 쉬운 강의로도 유명하지만, 그 멋진 강의를 모두 무료로 들을 수가 있어서 더욱 빛을 발하고 있죠. 선생님의 인터뷰를 보면 왜 유료 인터넷 강의를 안 하고 무료 인터넷 강의를 해서 돈을 벌 기회가 있는데 왜 그러냐는 질문을 굉장히 많이 받았다고 해요.

아나〉 그렇죠. 사람이라면 유혹을 많이 받았을 텐데요.

박미향〉 그런데 선생님은 그런 유혹에 흔들리지 않고 자신만의 신념으로 무료 강의를 계속하고 계신답니다. 유료 인터넷 강의도 좋지만, 무료로 양질의 콘텐츠를 만들어서 제공하는 사람도 있어야 하지 않을까? 라는 생각을 했다고 해요. 인터넷 강의 스타 강사들이 억대 연봉자들이 정말 많거든요. 요즘은 학생들 인터넷 강의 교재도 굉장히 비싸지고 있다고 하는데 최태성 선생님의 강의 교재는 일반 시중에서도 비교적 저렴한 가격으로 구할 수 있다고 합니다.

아나〉 와! 이 시대에 정말 드문 분이시네요.

박미향〉 네, 그리고 최태성 선생님은 역사를 공부하는 이유가 행복해지고, 또 겸손해지고 싶어서라고 합니다. 그 인터뷰를 할 때 표정을 보면 정말 행복해 보이시더라고요. 이 책, '역사의 쓸모'를 읽다 보면 그 진심이 느껴집니다.

아나〉 네 그렇군요. 이제 책 소개도 부탁드리겠습니다.

박미향〉 네 '역사의 쓸모'는 역사적 사실과 함께 우리 삶에 적용할 수 있는 답을 찾아보고 함께 고민해보는 책입니다. 요즘처럼 코로나가 장기전, 아니 연장전이 되어가는 시점에서 삶이라는 문제에 있어 역사보다 완벽한 해설서는 없다고 저자는 이야기하고 있습니다. 책 제목에 "쓸모"라는 말이 나오는데 "쓸모"라는 말은 너무 실용적이어서 역사와 잘 안 어울린다고 생각했었거든요, 책을 다 읽고 나니 최태성 선생님께서 왜 제목을 이렇게 지으셨는지 알 것 같았습니다. 정말 기가 차게 제목을 잘 지었다는 생각이 들었습니다.

이 책은 모두 1장부터 4장까지로 구성되어 있고요, 1장 쓸데없어 보이는 것들의 쓸모(역사를 왜 배워야 하는지), 2장 역사가 내게 가르쳐 준 것들(그것을 통해서 무엇을 배울 수 있는지), 3장 한 번의 인생, 어떻게 살 것인가(역사 속 인물을 통해서 내 삶에 어떻게 적용할 수 있는지), 4장 인생의 답을 찾으려는 사람들에게로 구성되어 있습니다.
역사적 인물들을 만나 소통하면서 삶의 문제에 대해 생각해보는 것이죠. 이 책에 나오는 역사는 대부분 우리나라의 역사를 소개하면서 전개되고 있어요. 책에는 모두 22가지의 이야기가 나오는데 역사 에세이라고 생각하셔도 좋을 것 같아요. 하나하나의 역사가 모두 큰 의미가 있습니다. 22편이 모두 연결되는 것이 아니고 하나하나 각각의 이야기를 담고 있어 필요한 부분을 찾아서 보셔도 좋을 것 같습니다.

아나〉 네 그래서 이 책의 부제목이 '자유롭고 떳떳한 삶을 위한 22가지 통찰'이군요.

박미향〉 네. 역사라는 단어는 정말 지루한 단어 중에 하나죠. 역사 과목 좋아하셨나요? 학교에서 역사를 공부할 때 사람 이름이나 지명이 외울 것도 많고 시험을 치고 나면 다 잊어버리기 일쑤였죠. 저는 역사 과목을 정말 싫어했었는데요. 또 수능에 한국사가 들어가지 않은 세대거든요. 제가 고등학교 시절에 이 최태성 선생님을 만났다면 역사를 좋아하지 않았을까 하는 생각이 들었습니다.
이분의 강의를 듣지 않아도 이 책 '역사의 쓸모'의 역사 이야기는 정말 재미있어요. 역사적 사실을 강의하듯 생동감 있게 소개해주는데 읽는 동안 지루할 틈이 없습니다. 역사 속의 인물들이 어려운 상황을 이

겨냈던 이야기, 세상을 바꾸기 위해 했던 위인들의 생각들, 그리고 교과서에는 나오지 않는 인간미 넘치는 모습들을 읽을 수 있기 때문이죠.

아나〉 오 예를 들면 어떤 식으로 소개를 해주나요?

박미향〉 책에 나오는 통일 신라의 장보고를 예를 들어볼게요. 교과서에서 나오는 장보고는 청해진을 설치한 통일 신라 시대의 장군이죠. 하지만 최태성 선생님이 들려주는 장보고는 정말 흥미롭습니다. 장보고는 출생이 미천했습니다. 계급 사회이던 신라에서는 꿈을 펼치기가 어려웠죠.

아나〉 네 신라는 성골, 진골, 6두품 이렇게 있었죠.

박미향〉 네 그래서 항상 바다를 꿈꾸던 장보고는 당나라로 건너가서 고위 관직에 오릅니다. 병사로 입대해서 성과를 올리며 장교가 된 거죠. 그리고 전쟁이 끝나고서는 무역상이 되어서 대부호가 됩니다. 지금으로 치면 우리나라 사람이 중국으로 건너가 장군이 되고 전역해서 대기업의 CEO가 된 거죠. 얼마나 대단하면 중국과 일본에서는 아직도 장보고를 바다와 재력의 신으로 모시고 있을 정도라고 하네요.

아나〉 와 정말 대단한데요!

박미향〉 네, 장보고는 그렇게 군인으로서 능력도 인정받고, 재력을 쌓았죠. 그런데 누구나 부러워할 만한 삶을 살 수 있게 되었고 대대손손

호의호식하며 살 수 있었지만, 만족하지 않고 신라로 다시 돌아옵니다. 무역하면서 해적들에게 끌려가는 신라사람들을 보고 해적을 소탕하겠다는 꿈이 생긴 거지요. 그렇게 신라로 돌아온 장보고는 당시 왕이었던 흥덕왕과 대면하여 해적 소탕에 대한 제안을 허락받아 청해진을 건설하게 됩니다. 그리고 신분의 벽을 뛰어넘기 위해 진골들의 권력 다툼에 개입하여 성공하였으나, 신하들의 반대로 결국 그 벽을 뛰어넘지 못하고 신라 조정에서 보낸 자객의 칼에 맞아 죽게 됩니다.

아나〉 장보고 이런 인생을 살았는지 그동안 몰랐었네요.

박미향〉 네, '역사의 쓸모'에서는 인물들을 단순히 역사의 한 부분으로 보는 게 아니라 그 시대를 치열하게 살았던 사람들로 보면서 우리에게 소개해주고 있습니다. 그리고 자세한 소개에서 끝나는 것이 아니라 그 삶에서 새로운 가능성과 우리 역사에 끼친 영향을 함께 소개해줍니다.
장보고는 어려서 타고난 한계를 뛰어넘고자 바다를 건넜고, 나이가 들어서는 단단한 신분제 사회의 벽을 두드렸죠. 비록 완전히 벗어나지는 못했지만 그런 시도를 했기 때문에 한·중·일 3국에 큰 이름을 남길 수 있었죠.
이렇게 최태성 선생님은 장보고의 성공 신화보다는 그가 본 삶의 가능성에 초점을 맞춰야 한다고 하고 있어요. 장보고는 스스로를 다른 사람과 비교하지 않는 사람이었고, 부족한 점을 메꾸려는 사람이 아니라 자신의 장점을 효과적으로 활용하는 방법을 찾는 사람이라는 거죠. 우리의 삶도 어떤 계기로든 변할 수 있어요. 그것이 자신의 가능성이라고 믿고 한 걸음 한 걸음 나아가면 됩니다.

박미향〉 또 이 책의 장점 중의 하나가 우리가 잘 알지 못하는 역사와 위대한 업적을 알 수 있다는 거예요. 여러 가지 예가 나오는데요, 선덕여왕의 경우 제일 약했던 신라가 어떻게 고구려와 백제를 통일하고 당나라를 물리칠 수 있었는지에 대해 재미있게 설명하고 있습니다. 선덕여왕은 밀려오는 세력과 싸우기에 급급하지 않고 고구려와 백제를 모두 발아래 놓겠다는 의지를 백성들에게 알리는 것에 초점을 맞추었는데요. 삼국통일의 비전을 제시한 거죠. 그 방법으로 황룡사 9층 탑을 세웁니다. 이 탑은 경주 어디에서도 볼 수 있는 높은 탑입니다. 나무보다 숲을 먼저 보는 지혜로움이라고 할 수 있겠죠. 기업을 운영하시는 분이라면 눈여겨볼 만한 대목인데요.
사소한 어려움에 급급해하지 말고 선덕여왕의 교훈을 받아 기업의 비전을 제시하여 자신만의 신념으로 어려움을 풀어나가는 지혜로움을 배웠으면 좋겠습니다.
고구려의 장수왕은 오래 살았을 뿐만 아니라 정말 뛰어난 외교를 통해 실속을 챙겼고요. 고려 시대의 왕이었던 원종 또한 협상을 통해 강력한 몽골에 나라를 잃지 않을 수 있었고, 조선 시대의 김육은 평생에 걸쳐 대동법을 위해 살았다고 합니다.

아나〉 우리가 잘 몰랐던 흥미로운 역사가 정말 많군요.

박미향〉 네 역사 이야기를 하나하나 듣다 보면 어떻게 살아야 할지 계속해서 생각해보게 됩니다. 최태성 선생님이 롤 모델로 삼은 우당 이회영 선생님이 늘 스스로에게 이런 질문을 던졌다고 합니다.

"단 한 번의 인생, 어떻게 살 것인가?"

정말 깊이 있는 질문인데요. 청취자분들도 이 책을 읽어보시고 재밌는 역사 공부도 하고 그 속에서 삶의 해답을 찾아 이 어려움을 극복하시는 데 도움이 되었으면 좋겠습니다.

아나〉 네, 책 소개 감사드립니다. 혹시 이 책과 함께 읽으면 좋은 책이 있을까요?

박미향〉 네, '철학은 어떻게 삶의 무기가 되는가'라는 책을 소개해 드리고 싶습니다. "역사의 쓸모"와 비슷하게 철학을 소개해주고 그 철학이 비즈니스 세계에서 어떻게 적용되는지, 그리고 답이 안 보이는 상황에서 어떻게 답을 찾을 수 있게 해주는지 소개해주는 책이에요. 철학도 우리가 쉽게 접하기가 어려운데 실제로 적용한 사례를 통해 훨씬 쉽게 이해할 수가 있어서 같이 읽으면 정말 좋을 거 같습니다.

자존감 수업-윤홍균

박미향〉 최근에 우울한 일이 발생해서 자존감이 떨어지는 느낌이 들었습니다. 그래서 자존감을 높이고 싶어 자존감 수업을 읽었습니다. 이 책을 읽고 떨어진 자존감을 팍팍 올릴 수 있었습니다.
저는 이 책을 읽으면서 정말 외우고 싶을 정도로 많은 공감을 했습니다. 심리학은 어렵고 이해하기 힘든 학문이라는 편견이 있었는데 그것을 깨부숴 주었고, 자존감이 살아가면서 얼마나 중요한지를 느끼게 해주었습니다. 그리고 이제까지 이해하지 못했던 심리적인 상황에 대해 '아! 그래서 그랬구나'하고 이해하게 된 것들이 많았습니다. 책 곳곳에 알면 도움이 되는 내용이 들어있습니다. 제가 이 책을 읽고 많은 도움을 얻은 것처럼 청취자 여러분도 이 책을 꼭 읽었으면 좋겠다는 생각에서 윤홍균 작가의 '자존감 수업'을 선택한 것입니다.

아나〉 그렇군요. 윤홍균 작가는 어떤 사람인가요?

박미향〉 윤홍균 작가는 정신건강의학과 의사입니다. 중앙대학교 의과대학과 의과대학원에서 공부했습니다. 2016년 출간한 이 책 『자존감 수업』은 100만 부 가까이 팔리며 베스트셀러가 되었으며 일본, 중국, 대만, 인도네시아, 태국 등에서 출간돼 호평받고 있습니다. 〈어쩌다 어른〉 〈세바시〉 등 다양한 매체에 출연했고 강연을 통해 독자들과 만나면서도 대부분의 시간은 병원을 찾아오는 내담자들과 보내고 있습니다. 작가는 자존감에 가장 큰 영향을 미치는 것이 '사랑'이라는 점을 깨닫고 추상적 가치인 사랑의 실체에 대해 정리하기 시작했습니다. 사랑을 잘하려면 무엇이 필요한지, 제대로 사랑하면 무엇이 좋아지는지, 상처와 아픔은 어떻게 해결하는지 등을 특유의 공감 어린 언어로 풀고 현실적 해법을 제시했다는 평가를 얻고 있습니다.

아나〉 우리에게 꼭 필요한 책을 쓴 대단한 작가라는 생각이 듭니다. 그런데 이 책이 베스트셀러가 된 또 다른 이유가 있다면 어떤 것일까요?

박미향〉 예, 다른 베스트셀러가 된 이유를 꼽으라면, 어려운 시기를 겪는 우리에게 꼭 필요한 책이기 때문입니다. 다양한 칼럼과 방송을 통해 '윤답장' 선생으로 유명한 저자는
"나도 뒤처지는 기분, 포기하고 싶은 마음, 중독에 빠져 희망을 놓고 싶은 충동에 사로잡히곤 했다."
고 고백하며, 자신이 그랬듯 더 많은 사람이 자존감을 회복해 건강한 삶을 살길 바라는 마음, 즉 자신의 겪은 경험뿐만 아니라, 의사로 생활하면서 내담자들과 상담을 한 실질적인 경험을 이 책에 녹아내었기에 많은 독자의 선택을 받은 베스트셀러가 되었다고 생각합니다. 그렇기에 이 책을 이미 읽은 사람이라도 한번 읽고 말 것이 아니라 자존감이 약해졌을 때마다 펼쳐본다면, 자존감 회복에 도움이 되리라 생각합니다.

아나〉 자존감하니 자신을 존중하는 마음이라는 생각이 드는데, 이 책에서는 자존감을 어떻게 정의하고 있나요?

박미향〉 언젠가부터 '자존감'이라는 단어를 일상에서 흔히 접하게 됩니다. 그만큼 자존감의 중요성에 대해 많은 사람이 잘 알고 있다는 방증이 되겠지요. 하지만 자존감이 정확하게 뭐냐고 물으면 자긍심이라고도 하고 나를 사랑하는 정도, 내가 나를 대하는 자세라고도 하는 등 많은 답변을 들을 수 있습니다. 이 책에서는 자존감에 대해서 한 마디로 "자신을 어떻게 평가하는가"라 말합니다. 곧 자신을 높게 평가하는지 낮게 평가하는지에 대한 것을 의미합니다.

아나〉 그렇다면 이 책에서 말하는 자존감이 약한 사람은 어떤 사람인가요?

박미향〉 예, 이 책에서는 자존감이 낮은 유형을 아주 다양하게 제시하고 있습니다. 이 책에서 말하는 자존감이 낮은 사람을 예로 들어보겠습니다.
틈만 나면 뭔가를 배우고 열심인데 늘 결핍감에 시달리는 사람, 겸손과 배려가 넘쳐 자존감까지 떨어진 사람, 작은 말에도 쉽게 상처받는 사람, 상대의 반응이 두려워 눈치 보는 사람, 사랑과 이별의 과정이 유난히 힘든 사람, 진짜 원하는 것이 뭔지 헷갈려 엉뚱한 곳에 에너지를 쏟는 사람,
감정과 싸우느라 에너지가 쉽게 고갈되는 사람, 작은 일에도 쉽게 지치고 무기력하며 우울한 사람, 사랑하는 이와 자주 싸우고 후회와 자

책을 반복하는 사람, 이별이 두려워 만나지 말아야 할 누군가와 계속 만나는 사람, 뭔가 시작도 하기 전에 포기하고 회피하는 습관이 있는 사람, 진실하고 착하게 살아온 게 되려 억울하다고 느껴지는 사람, 남들의 시선을 의식해 눈치 보며 의기소침한 사람, 작은 것 하나도 결정하지 못하고 고민하느라 시간만 보내는 사람 등을 자존감이 낮은 사람이라고 말합니다.

아나〉 자존감에 대한 유형이 정말 다양하군요. 이렇게 자존감을 진단했다면, 결국 이런 사람이 도움을 받을 수 있는 내용도 이 책에 들어있겠군요.

박미향〉 물론입니다. 결국 이런 모습이 싫어 자신을 사랑하지 못한 채 살아가는 사람들을 자존감이 약한 사람이라고 할 수 있겠죠. 반면에 그런 사람들이 이 책을 보면 크게 도움을 받을 수 있는 내용이 이 책에는 아주 풍부하게 들어있습니다.

아나〉 점점 내용이 궁금해지는군요. 그렇다면 이 책의 내용을 좀 더 자세하게 소개해주실 수 있으세요?

박미향〉 예, 이 책은 크게 7장으로 구성되어 있습니다. 1장에서는 자존감이 무엇인지, 왜 자존감이 우리 인생에 중요한지를 다루었습니다. 우리 일상에서 많이 듣고 쓰면서도 자존감에 대해 제대로 알고 있는 사람이 많지 않기 때문이라고 말합니다. 2~3장에서는 자존감이 부족할 때 흔히 나타나는 사랑, 이별, 인간관계의 문제를 다루었습니다. 4~5

장에서는 자존감과 관련된 감정을 6~7장에서는 자존감을 끌어올리는 구체적 방법을 다루었습니다.

아나〉 자존감을 향상하는 방법이 있군요. 청취자의 이해를 돕기 위해 소개해주실 수 있을까요?

박미향〉 예. 각 장 하위 단락마다 하루에 실행하면 좋을 자존감을 향상하는 실천법이 있으며, 7장에는 자존감을 끌어올리는 다섯 가지 방법을 제시하고 있습니다. 여기서는 이 다섯 가지 방법에 대해 소개해 드리겠습니다.
그 첫째 방법으로는, 자신을 맹목적으로 사랑하기로 '결심하기'입니다. 사랑에는 조건이 없습니다. 이유나 조건 없이 있는 그대로의 자신을 사랑해야 합니다. 사랑의 힘을 믿고 이제는 자기 자신을 사랑해도 괜찮다고 받아들여야 한다는 것입니다.

아나〉 그렇군요. 저도 깊이 공감하는 말입니다. 사랑에는 조건이 없기에 이유를 따지지 않고 무조건, 맹목적으로 사랑해야 한다는 말이 가슴에 와닿네요. 다음으로는 어떤 방법이 있을까요?

박미향〉 예, 다음은 자신을 사랑하기입니다. 자존감이 낮은 채로 오랜 시간을 살아온 사람들에게는 자신을 미워하거나 다그치는 것이 익숙하고 편합니다. 책에서는 우리 마음속에 세 명의 '나'가 있다고 말합니다. '자존감이 낮은 나','자존감이 낮은 나를 다그치는 나' 나를 '사랑하는 나'입니다. 자존감이 낮은 사람의 마음속에는 그동안 '자존감이 낮은 나'와 '다그치는 나' 둘이서 싸움을 벌여왔다고 합니다. 이 둘이 싸움을 벌이는 동안 나를'사랑하는 나'는 점점 설 자리를 잃어버렸습니다. '다그치는 나'는 마음 둘레에 장벽을 쌓아두고 '사랑하는 나'를 불러오지 못하게 막고 있다고 합니다. 그 장벽을 깨고 '사랑하는 나'를 불러와야 자신을 사랑할 수 있다고 합니다.

아나〉 적절한 비유인 것 같습니다. 노래 중에 "내 안에 내가 너무나 많아"라는 가사가 생각나는군요. 수많은 나중에 나를 사랑하는 나를 마음의 중심에 둔다면 자존감을 끌어올릴 수 있겠군요. 세 번째 방법은 무엇일까요?

박미향〉 예, 세 번째 방법은 스스로 선택하고 결정하기입니다. 자기를 존중하지 못하는 사람은 결정을 앞에 두고 다른 사람을 찾는다고 합니다. 흔히 결정 장애라고 말하기도 하죠. 자존감을 높이는 결정법에 대해
"스스로 결정하기, 자신이 내린 결정을 따르기, 결과가 나쁘면 미래형 후회하기, 결과가 좋으면 타인에게 감사하기"
등을 말합니다.

아나〉 그렇군요. 그런데 '미래형 후회하기'라고 말씀하셨는데, 그 말은 무엇을 의미하는 것인가요?

박미향〉 미래형 후회하기란, 어떤 일에 실패했을 때 '그때 그렇게 하지 말았어야 했어'가 아닌 '앞으로는 이런 경우가 있을 때, '반드시 이렇

게 해야지!'하고 다짐하는 것입니다. 후회하며 자책하는 것이 아닌 실패를 바탕으로 얻은 교훈으로 더 나은 삶을 살고자 다짐하자는 것입니다. 그렇다면 나를 다그치는 나를 이길 수 있다는 것입니다.

아나〉 네 번째 자존감을 향상하는 방법이 궁금해지는군요.

박미향〉 예, 네 번째는 '지금, 여기'에 집중하기입니다. 지금, 여기서 내가 원하는 것은 무엇인가에 집중해야 함을 말합니다. 과거에 집착하면 후회스럽고 미래에 몰입하면 혼란스럽습니다. 과거는 되돌릴 수가 없으니 답답하고, 미래는 오지 않았으니 모릅니다. 그것이 과거와 미래의 본질입니다.
건강한 사람의 머릿속엔 과거, 현재, 미래의 비중이 비슷하거나 현재가 절반 이상을 차지한다고 합니다. 문제 해결은 현재에 더 집중하는 데에서 시작합니다. 정신과 의사들은 'here and now'가 원칙이라고 말합니다. 지나간 문제나 앞으로 닥칠 문제를 생각하지 말고 지금 당장 할 일에 집중하라는 것입니다. 현재에 집중하면 문제 해결을 앞당길 뿐만 아니라, 새로운 부가 이득도 얻게 된다고 말합니다.

아나〉 과거는 되돌릴 수 없고 미래는 오지 않았으니 현재에 집중하라는 말, 참 좋은 말인 것 같습니다. 마지막 다섯 번째는 무엇인가요?

박미향〉 예, 다섯 번째 자존감을 향상하는 방법으로 '패배주의를 뚫고 전진하기'입니다. 패배주의에 갇힌 사람들은 아무리 자존감을 높이는 방법을 알려줘도 모른다고 합니다. 사랑하는 방법을 모르고, 자신의 결정을 존중하는 방법도 모르고, 운동하라고 하면 못하겠다고 합니다. 이런 사람과는 아무리 싸워도 답이 나오지 않는다고 합니다.
하지만 이 경우에도 방법은 있습니다. 자동차가 어떻게 굴러가는지 몰라도 운전은 할 수 있는 것처럼요. 책에서는 이런 사람을 위해 뇌를 행복하게 하는 세 가지 행동을 제시하고 있습니다. 첫째, 걸어라, 자신을 존중하는 사람처럼. 둘째, 표정을 지어라, 나를 사랑하는 듯이. 셋째, 혼잣말하라, 자존감이 아주 강한 사람처럼. 이 세 가지를 염두에 두고 살아간다면, 뇌는 자존감이 강한 사람처럼 자신을 인식하게 된다는 것이지요.

아나〉 예, 자존감이 약한 경우와 향상하는 방법에 대해 잘 들었습니다. 이러한 자존감이 우리 인생에 어떤 영향을 미친다고 작가는 말하고 있는가요?

박미향〉 자존감은 우리가 하는 말, 행동, 판단, 선택, 감정 등 모든 것에 영향을 미친다고 말합니다. 특히 요즘처럼 힘들다고 호소하는 사람들이 많을 때 자존감은 더욱 중요해집니다. 왜냐면 자존감이 '정신 건강의 척도'이기 때문입니다. 그렇기에 건강한 자존감이야말로 요즘처럼 복잡한 시대를 살아가는 데 있어 가장 강력한 무기가 되는 것입니다.
이 책을 읽다 보면 자신의 자존감의 현 상태를 짐작할 수 있게 만들어 줍니다. 자존감이 낮은 사례를 많이 접하게 되는데, 그런 사례에 비추어보면 자신이 자존감이 높은 사람인지, 낮은 사람인지를 판단하는 것에 도움이 됩니다. 그리고 자존감이 낮은 사람이라면 이 책에 자존감을 높이는 방법도 나오니 실천한다면 자존감을 높이는 동기를 가지게 될 거로 생각합니다. 그렇기에 이 책은 자존감이 높은 사람이라면 자존감을 더욱더 굳건하게 해줄 것이며, 자존감이 낮은 사람은 자존감을 높여줄 것입니다.

아나〉 좋은 말씀 잘 들었습니다. 그렇다면 마지막으로 박미향 선생님은 자신을 자존감이 높은 사람이라고 생각하시는지요.

박미향〉 예, 저는 자신을 자존감이 강한 사람이라고 생각합니다. 물론 때에 따라 약해질 때도 있지만 대부분은 저는 자존감이 강하다고 느낍니다. 저는 평소 나를 위해 살자는 생각을 하고 있습니다. 듣기에 따라서는 이기적인 사람이라고 평가할 수도 있겠지만, 이 책의 표현을 빌자면 자신을 먼저 사랑해야 그 사랑을 남에게 베풀 수 있다는 것처럼, 저 스스로 굳건하게 서야 가족을 돌볼 수가 있고, 나아가서는 그 사랑을 남에게 베풀어 줄 수 있다고 생각하고 있는 것이지요.

죽음의 수용소에서-빅터 프랭클

박미향〉 '죽음의 수용소에서'라는 책을 소개해 드리겠습니다. 사실 제목에서 죽음이라는 무거운 단어가 들어있어서 선뜻 책을 읽기가 좀 부담스러운 분도 계실 텐데요. 이 책은 단순히 유대인 수용소에서 처절한 경험을 전하는 책이 아니라 죽음 같은 수용소의 생활 속에서 무엇이 과연 수감자들이 삶에 의지를 놓지 않게 만들었는지 대한 치열한 답을 제시해주는 책이어서 이 책을 가지고 나왔습니다.
최근 코로나로 거의 모든 도시가 정지인 상태라고 해도 과언이 아니죠? 특히 자영업을 하시는 분들이 많이 힘들어하고 계시는데요. 저도 인문학 아카데미와 학원 몇 군데 운영하고 있어요. 카페엔 손님이 하나도 없고, 인문학 커뮤니티도 운영할 수 없는 상태이고요, 학원마저도 반강제적인 휴원 상태에 있어요. 모든 일이 정지상태가 되니 의지가 없어지고 삶에 대한 희망마저 없어지는 듯한 느낌이 들더라고요.
지난 일주일이 저에게 그런 힘든 한 주였거든요. 그런데 이 책을 다시 한번 읽으면서 큰 위로가 되었습니다. 청취자분들도 저와 같은 상황이 많으실 거란 생각이 드는데요. 너무 힘든 나머지 삶에 대한 의지가 떨어지고 희망마저 없어지는 분들이 계신다면 꼭 읽어봐야 할 필독서 빅터 프랭클의 '죽음의 수용소에서'를 오늘 소개해 드리겠습니다.

아나〉 네 저자인 빅터 프랭클, 처음 들어보는데 저자에 관해서 소개 부탁드릴게요.

박미향〉 네, 빅터 프랭클은 위대한 신경학자이자 심리학자였어요. 오스트리아에서 1905년에 태어나 1997년에 생을 마감했는데, 그전까지 신경정신과 교수이자 심리 치료사로 활동하면서 미국 인터내셔널 대학에서 로고 테라피를 가르쳤어요. 저자가 창시한 로고 테라피는 많은 사람의 정신을 치료해주고 힘든 삶을 살아갈 힘을 주었죠. 덕분에 정신분석학의 시초 프로이트, '미움받을 용기'에 소개된 아들러와 함께 위대한 정신분석학자라고 불리고 있습니다. 살아생전에 하버드, 스탠포드 같은 세계의 유명 대학에 초청되어서 강의하고 로고 테라피의 연구와 강의를 통해 사람들에게 희망을 주었습니다.

아나〉 네, 그렇군요. 앞서 지금 힘든 일을 겪고 계신 분들께 힘이 됐으면 좋겠다고 말씀하셨는데 시중에 나와 있는 다른 위로의 책이 다른 점이 있을까요? 이 책을 선정한 이유에 대해서 한 말씀 해주시죠

박미향〉 이 책에서 소개되는 로고 테라피라는 이론에 대해 청취자분들께 소개해 드리고 싶어 이 책을 선정하게 되었습니다. 로고 테라피가 좀 생소하시죠? 로고 테라피는 사람의 미래에 초점을 두고, 그 미래에 의미를 부여하여 정신을 치료하는 기법이에요. 정신분석 프로이트 이론과는 좀 다른데요. 프로이트는 과거의 일을 중요하게 생각해요. 이 로고 테라피는 반대로 미래에 초점을 두고 살아야 할 이유를 가진 사람은 어떤 어려움도 이겨낼 수 있다는 게 핵심입니다. 이 메시지가 청취

자분들께 정말 도움이 될 거 같아요.
코로나가 벌써 2년째 지속하다 보니까 삶을 살아가기가 벅차지는 분들도 계실 거고 사람을 만나거나 바깥으로 자유롭게 다닐 수가 없어 정신적으로도 힘든 분들도 많이 계실 거예요. 특히 확진자가 너무 많이 급증 하다 보니 걱정과 불안이 더 커졌죠. 이 책과 함께 로고 테라피에 대해 읽어보고 생각을 바꿔보면 이 힘든 상황을 버티고 이겨나가는데 큰 힘이 되실 거로 생각합니다
그리고 책에는 이론만 적혀있는 게 아니라 저자가 수용소에서의 힘들게 살아낸 생생한 경험이 함께 적혀있어요. 물론 지금의 상황 하고는 많은 차이가 있겠지만, 그 어려웠던 순간의 기록을 보면서 지금의 우리의 삶을 비교해보면 삶을 전혀 다른 시각으로 만들어 줄 수 있을 것 같아요.

아나〉 네 알겠습니다. 이렇게 얘기를 듣다 보니 로고 테라피가 정말 궁금한데요. 책 내용 소개와 함께 설명 부탁드릴게요.

박미향〉 네, 책 내용은 저자가 1944년 10월부터 1945년 4월에 해방되기까지 약 7개월 동안 수용소에서 겪은 경험을 쓴 1부와 로고 테라피에 관한 설명을 쓴 2부로 나뉘어요.
1부는 수백만 명이 수용소에 노역한 개인적인 경험에 관해 쓴 내용입니다. 수용소 경험이라고 해서 끔찍한 장면이 자주 나올 거라고 생각을 했는데 오히려 일상에서 겪는 작은 고통이나 생활들에 대해서 담담하면서도 생생하게 적혀져 있어요.

아나〉 네 수감자는 어떤 생활을 하게 되나요?

박미향〉 책에는 수용소에서의 심리적 반응을 크게 3가지로 나뉜다고 소개해요. 첫 번째 단계는 수용소에 들어온 직후, 두 번째는 틀에 박힌 수용소의 일과에 적응했을 무렵, 그리고 마지막 단계는 석방되어 자유를 얻은 후의 반응입니다.
사람마다 다르겠지만 저자의 경우 처음에 200명이 겨우 들어갈 수 있는 정말 좁은 공간에 1,500명이 들어가게 되고 그중 90%의 사람이 죽음을 선고받아요. 그리고 살아남은 10%의 사람들은 작업장으로 옮기게 됩니다. 그때 옷가지와 소지품을 다 뺏기게 되죠. 그러한 과정에서 사람들은 여기서 살아나갈 수 있다는 환상이 무너지고 엄청난 충격을 받아요. 그러면서 이때까지의 인생 전부를 박탈당하고 어떤 것도 소유하지 못한 채 벌거벗겨진 자기 자신을 마주합니다.

아나〉 정말 말 그대로 충격이네요.

박미향〉 그리고 나서는 열악한 수용소에서 하루하루 일과를 보내게 됩니다. 사람들은 먹을 것도 부족하고 잠조차 제대로 잘 수 없는 환경에서 생활하죠. 여기서 저자는 극한 상황에서 사람들이 어떻게 생각하고 행동하는지 알 수 있게 돼요. 사람들은 살아남기 어렵고 희망이 없는 환경에 처하자 모든 것에 무감각해지기 시작합니다. 좀 전까지도 같이 말을 하던 사람이 죽었는데도 밥을 먹고 시체에서 자기가 필요한 물품을 가져가기도 합니다. 그런 비인간적인 삶, 도덕적으로나 윤리적인 삶이 무감각한 와중에 감시하는 병사들에게 모멸감을 받고 분노를 느끼죠.
그러다 보니 수감자들은 먹는 것에 대해 집착하고 더욱 내면세계에 빠져들기 시작합니다. 사랑하는 사람을 만나는 꿈을 꾸고 일을 하면서 아내에 대해 상상을 하며 정신이 스스로 살아남는 방법을 취하는 거죠. 여기까지 설명해 드린 내용에 관해서 책을 읽어보시면 더욱더 생생하게 다가올 거에요.

그런 수용소 생활을 하는 와중에 삶에 대한 희망을 버리는 사람들이 생기기 시작합니다. 더 이상 수용소를 살아갈 수 없다고 생각하니 삶에 대한 의지가 없어져 곧 죽음에 이르게 됩니다. 크리스마스에는 집에 갈 수 있지 않을까? 3월에는 전쟁이 끝나지 않을까? 등의 막연한 희망을 품고 있다가 그 희망이 이루어지지 않으면 되면 미래에 대한 의지가 없어지게 되고 의지가 없어지니 면역력이 갑자기 떨어져 쉽게 병에 걸려 죽습니다.
여기서 저자는 미래에 대한 희망을 보여주어야 사람의 정신력을 회복할 수 있다는 것을 알았어요. 그 희망이 삶에 대한 태도를 근본적으로 바꾸는 것이죠. 삶을 살아나가야 하는 이유가 있는 사람은 어떤 환경에서도 적응하고 시련을 겪어도 극복해 낼 수가 있는 것이에요. 이러한 경험과 생각 덕분에 저자는 로고 테라피를 만들어 낼 수 있었던 거죠.

아나〉 맞아요. 주위에 어려워 보이는 일을 척척 해내는 사람을 보면 삶에 대한 의지, 미래에 대한 희망을 품은 사람들이더라고요. 로고 테라피에 대해 좀 더 자세하게 설명 부탁드립니다.

박미향〉 네 로고 테라피의 로고는 '의미'를 뜻하는 그리스어에요. 이런 이름과 같이 로고 테라피는 환자가 삶의 의미와 직접 대면하게 하고, 현실과 마주하며 그것을 향해 나아갈 수 있도록 도와주는 기법입니다. 살아가야 하는 이유를 찾거나 살아가는 이유를 만드는 거죠. 이렇게 스스로 깨우치면 정신병을 극복하고 환자의 능력을 향상하는 데 커다란 도움이 된다고 해요.
저자가 실제로 겪은 이야기를 들으시면 이해하는 데 더 도움이 될 거예요. 처음 수용소로 끌려왔을 때 저자는 출판을 위해 집필 중이던 원고를 빼앗기게 돼요. 일생 심혈을 기울여 연구한 것이었죠. 그런데 원고를 뺏긴 것이 오히려 저자가 살아남을 수 있도록 도움을 줍니다. 이 수용소에서 살아나가 이 원고를 새로 쓰고 싶다는 강렬한 열망이 가혹한 환경 속에서 시련을 극복하는 데 큰 도움이 된 거예요.
우리도 코로나뿐만 아니라 어떤 힘든 상황에 부닥쳤을 때 그 상황만 생각하는 게 아니라, 이 상황이 나의 인생에서 어떤 의미가 있는지, 그리고 미래에는 어떤 삶을 살아갈지 생각해보는 거죠. 내가 이걸 극복하면 얼마나 성장할지 생각해보고, 내가 사랑하는 사람, 인생의 목표를 기억한다면 시련을 이겨내는 데 큰 도움이 될 거예요.

아나〉 네 그렇군요. 로고 테라피를 통해 삶에 의미가 있으면 살아가는 데 정말 도움이 되겠네요. 그런데 인생이라는 큰 틀 말고 일생 생활에서 써먹기 위한 구체적인 방법은 없을까요?

박미향〉 네, 로고 테라피에서 이야기하는 삶의 의미는 정신적이나 내적 가치를 추구하는 추상적인 것이 아니라 구체적인 현실에서 자신의 생명 즉 현실에 대한 의미를 찾으라는 이야기인데요, 자기 삶의 의미를 찾는 것을 3단계로 나누어 보았습니다. 첫 번째는 무언가를 창조하거나 어떤 일을 함으로써 찾을 수 있고요,(미션을 수행하는 그런 일을 말하겠죠), 두 번째는 어떤 일을 경험하거나 어떤 사람을 만남으로써 의미를 찾을 수 있습니다. (어떤 일을 경험하는 것은 자연이나 문화를 체험하는 것이고 어떤 사람을 만난다는 것은 사랑하는 사람이 생긴다는 것이겠죠) 그런데 책에서 나오는 수용소 생활이나 지금 코로나 상황 같은 상황이 생기면, 이 모든 것이 불가능해지겠죠? 이럴 때는 피할 수 없는 시련에 대한 자신의 태도를 바꿈으로써 삶의 의미를 찾을 수 있습니다. "삶의 태도를 바꾼다." 흔한 말 같지만, 가슴에 와닿지 않으시죠? 제가 예를 하나 들어볼게요.

사이좋은 노부부가 있었는데 할머니가 먼저 돌아가셨어요. 비통에 빠진 할아버지는 '왜 나에게 이런 시련이 주어지나.' 하면서 심각한 우울증에 빠지게 됩니다.

그때 빅터 박사는

"만약 반대로 당신이 죽고 할머니 혼자 남았다면 그분의 고통은 어땠을까요?"

"그건 정말 끔찍한 고통이었을 겁니다."

라고 할아버지가 대답해요. 할아버지 할머니가 굉장히 사이가 좋으셨나 봐요. 박사님은

"선생님께서 살아 계신 것은 할머니의 고통을 면하게 해주는 일입니다."

라고 말씀해주시죠. 이것이 바로 삶에 대한 태도를 바꾸어 보는 일이

라고 할 수 있습니다.

아나〉 정말요? 신기하네요. 잘 사용하면 정말 도움이 되겠네요. 오늘 빅터 프랭클의 '죽음의 수용소에서' 책을 함께 살펴봤는데요. 이 책과 함께 읽으면 좋은 책 하나 소개해주실 수 있을까요?

박미향〉 네 오늘은 책 대신에 영화를 하나 소개해 드리려고 해요. 제가 소개해 드릴 영화는 '인생은 아름다워'라는 영화데요. 이 영화는 1997년에 개봉된 이탈리아 영화입니다. 풍부한 상상력으로 유대인 수용소에서 가족을 구하는 내용을 담고 있어요. 특히 아들의 동심과 생명을 살려주기 위해 주인공이 희생하는 모습이 정말 감동적이에요. 수용소의 실상을 보고 아들이 충격받을 것을 생각해 이런 비극적 상황을 게임 여행을 떠날 것이라고 이야기하거든요. 주인공이 총살을 당하러 가는 길에도 지켜보는 아들을 안심시키기 위해 게임을 하는 척 우스꽝스러운 모습으로 걸어가는 모습이 정말 감동을 줍니다. 많은 사람이 인생 영화라고 추천하는 영화인 만큼 여러분들도 꼭 보셨으면 좋겠습니다.

그리고 이 책을 읽으면서 아우슈비츠에 있지 않은 것만으로도 우리는 모두 모두 행운아라는 생각을 해보았습니다.

시(詩)-나는 정말 행운아다.

아우슈비츠에서 아침에

눈을 뜨지 않는 것이 행운이고
한국 전쟁 중 포화 속에
있지 않은 순간이 행운이고
북한이 아니고 한국에
태어난 것이 행운이고
병원에서 사망 선고를
받지 않는 오늘이 행운이다.

가족이 사고를 당하지
않는 것이 행운이고
책을 읽을 수
있는 것이 행운이고
아침마다 커피를
마실 수 있는 것이 행운이고

추운 날 떨지 않을
옷이 있다는 것이
비 오는 날 우산이
있다는 것이 행운이다.
새로운 오늘이 있다는 것은
로또 당첨보다 더 큰 행운이고
글을 쓰는 이 순간이 행운이다.

행운이라고 생각할 수

있는 것이 행운이다.
생각해보면 내가 가진 모든 것이
행운 아닌 것이 없다.

지구에 산 기념으로 책 한 권은 남기자-윤창영

아나〉 책을 읽는다는 것은 직접적으로 경험을 하지 않고도 경험할 수 있는 간접 경험하는 것을 의미합니다. 책을 많이 읽으면 읽은 만큼 많은 세상을 경험하게 되는 것이라 말할 수 있습니다. 또한, 책을 통해 지식을 쌓기도 하고 자기계발을 할 수 있게 하는 동기를 부여받기도 합니다. 책 읽기의 중요성은 아무리 강조해도 지나침이 없다고 생각합니다. 그런 의미에서 2주에 한 번씩 하는 시사팩토리의 책 소개는 아주 의미가 크다는 생각이 드는군요. 오늘도 좋은 책을 소개해주실 이야기 꿈이는 주전자의 박미향 대표님을 모셨습니다. 안녕하세요. 대표님.

박미향〉 예, 안녕하세요. 책 읽기의 중요성에 대해 말씀해주셨는데요. 맞습니다. 책은 우리 삶의 질을 높여줄 뿐만 아니라 세상의 바다를 항해하는 우리에게 바른길을 안내해주는 등대 같은 역할을 해준다는 생각이 듭니다.
지금까지 독자로서 책을 읽는 것에 대해 많은 이야기를 나누었습니다. 그런데 오늘은 독자의 영역에만 머무는 것이 아니라 독자가 작가가 되는 것에 관해 이야기를 나누고 싶습니다. 그래서 오늘 소개할 책은 윤창영 작가의 '지구에 산 기념으로 책 한 권은 남기자'라는 책으로 정했습니다. 이 책은 글쓰기 왕초보도 작가가 될 수 있는 길을 안내하는 실용서입니다.

아나〉'지구에 산 기념으로 책 한 권은 남기자' 제목부터가 좀 특이하네요.

박미향〉 예, 작가는 지구란 행성에 왔으면 무언가 하나는 남기고 가야 한다고 말하고 있습니다. 죽음은 누구나 피해갈 수 없지만, 책을 쓰면 그 속에 정신은 살아남게 된다는 의미라 말합니다.

아나〉 독자가 저자가 되기는 쉽지 않을 텐데요. 그것도 글쓰기를 잘못하는 왕초보가요?

박미향〉 작가는 이 책에서 글쓰기를 잘못해도 노력만으로 책을 단시간에 쓰고 출간할 방법을 알려주고 있습니다.

아나〉 전문 작가도 1년 안에 책을 내기 어렵다고 하는데, 그것이 과연 가능한 일일까요?

박미향〉 예, 윤창영 작가는 전문적인 작가가 아닌 누구라도 책을 낼 수 있다고 말합니다. 단지 '무엇을, 어떻게'를 모르기 때문에 책을 낼 수 없다는 것입니다. 이 책에는 책을 쓰고 출간하는 방법이 자세하게 나와 있습니다. 요즈음 많은 사람이 자신의 이름으로 된 책을 내고 싶어 합니다. 그런 사람에게 아주 도움이 되는 책이라고 생각합니다. 또한, 책을 내지 않더라고 글쓰기에 관련된 내용도 나와 있어 글을 잘 쓰고 싶은 사람이 이 책을 읽으면 많은 도움이 되리라 생각합니다.

아나〉 예, 그렇군요. 그럼 윤창영 작가는 어떤 작가인가요? 소개 부탁드립니다.

박미향〉 윤창영 작가는 울산에서 태어나 50년이 넘는 세월을 울산에서 생활하고 있는 토박이 울산 작가입니다. 울산대 국문학과를 나왔고 40년 가까이 글을 쓰고 있는 작가입니다. 글을 쓴 지는 오래 되었지만, 책을 낸 지는 불과 4년밖에 되지 않았습니다. 그런데 그 4년 동안 무려 12권의 책을 출간하였습니다. 작가는 책을 많이 쓰고 출간하다 보니 '무엇을, 어떻게' 하면 책을 쓰고 출간할 수 있는지 노하우가 생겼다고 합니다. 그런 작가의 노하우를 이 책에 담아내었지요. 지금도 윤창영 작가는 울산에서 글쓰기와 책 쓰기 지도를 하고 있다고 합니다.

아나〉 울산에도 그런 작가가 있군요. 그런데, 4년에 12권의 책을 출간하였다고요. 정말 대단한 작가네요.

박미향〉 예, 그렇지요. 아무리 전문 작가라 하더라도 책을 내는데 1년 이상의 기간이 필요하다고 하는데, 1년에 평균 3권의 책을 출간한 셈이 되지요.

아나〉 일반인도 책을 낼 수 있다고 했는데, 저부터가 책을 쓰라고 하면 글쓰기의 어려움과 책 한 권 분량이 엄청나 엄두를 내기가 어려운

데, 책에서는 그런 부분도 언급하고 있나요?

박미향〉 물론입니다. 이 책에서는 책 쓰기가 어렵다는 두려움을 깨는 것이 책 쓰기 시작하는 첫걸음이라 말하고 있습니다. 책 쓰기가 어렵다고 생각하는 것을 이 책에서는 '엄두 결핍증'이라 말하고 있습니다. 그런 어렵다는 생각의 벽을 깨고 시도를 하면 누구나 책을 낼 수 있다고 말합니다. 그리고 '지구에 산 기념을 책 한 권은 남기자'를 읽고 책 쓰기를 시도하여, 실제 글쓰기 왕초보가 책을 낸 사례도 아주 많다고 합니다.

아나〉 그렇군요. 박미향 대표님도 이 책을 읽고 책을 한번 써보고 싶다는 생각이 들든가요?

박미향〉 예, 저도 그런 생각이 들어 책 쓰기에 한번 도전을 해볼 생각입니다. 머지않아 이 프로그램에서 제 책을 소개할 날을 기대하면서요. 하하.

아나〉 그런 날이 오면 정말 좋겠습니다. 꼭 오기를 기대합니다. 자신의 책을 가지고 싶어 하는 사람이 많은데, 자신이 쓴 글이 책으로 출간이 되면 정말 행복하겠다는 생각이 드는군요. 이 책에서는 책을 내면 좋은 점에 대해 어떻게 이야기를 하고 있나요?

박미향〉 책을 내면 좋은 점이 아주 많다고 합니다. 먼저 독자에서 작가로 신분이 바뀌게 됩니다. 작가는 우리 사회에서 대단한 사람이라는 통념이 형성되어있습니다. 책을 내는 것은 그런 대단한 사람이 되는 것을 의미한다고 합니다. 또한, 베스트 셀러가 되면 실질적인 수입이 발생합니다. 그리고 책을 내면 전문가로 인정을 받게 되어 강사로 활동할 수도 있습니다. 그것뿐만 아니라 대학생이 책을 내면 유학에 버금가는 스펙이 될 수도 있다고 하는군요. 취업할 때 이력서에 자신이 출간한 저서를 적는다면 취업에 아주 유리하다는 것이지요.
책을 출간하는 것은 자신의 콘텐츠가 되어 자신을 홍보하는 데도 도움이 된다고 합니다. 선거철만 되면 정치인들이 앞서서 출판기념회를 열고 책을 통해 자신을 홍보하는 것을 흔히 볼 수 있지요. 또한, 책은 성공한 사람만이 쓰는 것이 아니라 책을 씀으로써 그것을 발판으로 성공하기도 한다고 합니다. 무엇보다 중요한 것은 자신의 경험과 지식을 사회에 환원하는 의미도 있다고 합니다.

아나〉 책을 내면 그렇게 좋은 일이 많이 생기는군요. 그렇다면 좀 전에 '무엇을, 어떻게'를 알면 책을 낼 수 있다고 했는데, 그 부분에 대해서 말씀해주시겠습니까?

박미향〉 책에서 말하는 '무엇'에 대해 먼저 말씀을 드리겠습니다. 무엇에 해당하는 것을 이 책은 컨셉이라고 말합니다. 즉, 쓸 거리가 되는 것, 소재와 주제에 관한 것인데요. 전문가는 자신의 지식을 적어 책으로 내면 되지만, 전문가가 아닌 일반인은 자신의 경험을 컨셉으로 잡아 쓰면 된다고 합니다. 자신이 가장 잘 쓸 수 있는 것이나, 자신이 한 경험이 독자에게 도움이 되는 것을 쓰면 된다는 것이지요.
자서전과는 약간 다른 개념입니다. 자서전은 자신의 인생 전부를 쓰는 것이지만, 이 책에서 말하는 것은 인생 전부가 아닌 컨셉을 쓰는 것이라 합니다. 가령 공무원 학원에서 상담 일을 하는 사람은 공무원 시험에 관해 쓰면 되고, 비트코인을 잘하는 사람은 비트코인에 대해, 간호사는 자신이 간호한 사람에 대한 경험을 쓰면 되고, 의사나 보건소 등에 종사하는 사람은 요즈음 문제가 되는 코로나 상황에서 겪은 일을 쓰면 된다는 것이지요.

아나〉 잘 들었습니다. 책은 특별한 것을 쓰는 것이 아니라 일반인도 자신의 경험을 컨셉으로 잡아 글을 쓰면 되는 것이네요. 그러면 '어떻게'에 해당하는 부분도 말씀해주실 수 있나요?

박미향〉 물론입니다. 책에서는 먼저 10페이지 정도 막 쓰기를 권하고 있습니다. 글을 쓰는 행위는 생각을 시각화하는 작업이라고 합니다. 어떤 것이라도 10페이지 정도를 쓰면 책으로 쓰고 싶은 것이나 쓸 것이 시각화되어 눈에 보인다고 합니다. 그것을 컨셉으로 잡아 목차를 잡고 본문을 써나가면 된다고 합니다.
처음에는 잘 쓰려고 하지 말고 일단 써서 초고를 완성한 후 퇴고를 하면서 완성도를 높여 나가면 된다고 하네요. 처음부터 잘 쓰려고 연필에 힘을 주면 연필심이 부러져 글을 써나갈 수가 없다고 합니다. 그렇기 때문에 처음에는 막 쓰고 난 뒤 퇴고를 많이 하는 것이 방법이라고 합니다.

아나〉 예, 그렇군요. 책은 컨셉을 잡아 쓰고 그러고 난 뒤에 퇴고하면 되는군요. 그런데 책은 분량이 많고 쓰는데도 많은 시간이 들 것 같네요.

박미향〉 책의 분량은 아래한글로 했을 때, 90페이지 정도를 쓰면 된다고 합니다. 그것을 책으로 편집하면 약 250페이지에서 300페이지 정도가 된다고 합니다. 90페이지는 하루에 한 페이지를 쓴다고 가정하면 3개월 정도의 기간이 걸리게 되는 것이지요. 이 책에서는 빠른 기간 내에 책 쓰기를 마치는 것이 좋다고 말합니다. 기간이 길어지면 지치게 되어 포기할 수도 있다고 하는군요.

아나〉 그렇군요. 원고를 완성했다고 가정하면, 어떻게 출판사와 컨택을 할 수 있는지 일반인은 잘 모르지 않나요? 그 부분도 이 책에 나와 있나요?

박미향〉 예, 나와 있습니다. 그에 앞서 먼저 출판 방식에 대해 말씀드리겠습니다. 출간 방식은 크게 자비 출판과 기획 출판으로 나눌 수 있습니다. 자비 출간은 말 그대로 자신의 돈으로 출판사에 의뢰해서 책을 내는 방식이고요. 기획출간은 자신의 돈이 들어가지 않고 출판사에서 모든 경비를 대서 책을 제작하고, 홍보까지 해주며, 작가는 출판사에서 인세를 정가의 10% 정도를 받는 방식을 말합니다.

기획출간을 하기 위해서는 먼저 원고를 출판사에 투고해야 합니다. 투고하기 위해서는 출간기획서를 작성해야 하는데요. 출간기획서에는 작가 프로필과 책의 기획 의도, 강점, 예상 독자, 분량 등을 쓴다고 합니다. 그리고 출간기획서와 원고 일부나 전부를 출판사에 이메일로 투고를 하면 된다고 하네요. 이메일은 책의 맨 뒷부분이나 앞부분에 있는 판권 페이지에 나와 있다고 합니다. 자신의 집에 있는 책이나, 도서관, 서점 등에 있는 책에서 이 메일 주소를 수집하여 그곳으로 투고를 하면 된다고 합니다.

아나〉 출판사에 투고하면 초보 작가라도 출간 계약을 할 수 있는지도 궁금하네요.

박미향〉 우리나라에서 1년에 한 권 이상 책을 출간하는 출판사가 4,500군데 넘는다고 합니다. 출판사의 이메일 주소를 수집하여 많이 투고하면, 출판사의 컨셉과 맞는 곳을 찾을 가능성이 아주 높다고 합니다.

아나〉 그렇다면 출간 계약을 했다고 가정하고 그 이후에는 책이 나올 때까지 어떻게 진행된다고 하는지요?

박미향〉 출간 계약을 하고 나면 출판사에서는 먼저 표지 시안을 여러 개 보내온다고 합니다. 그중에서 하나를 작가가 선택하면, 그다음에는 본문 내용을 편집한 내지를 보내온다고 합니다. 그것을 오타가 있는지와 다른 사항을 작가가 검토한 후에 최종적으로 OK를 하면 인쇄에 들어간다고 합니다.

아나〉 출간 계약을 하고 책이 나오는 데 걸리는 시간은 어느 정도 걸릴까요?

박미향〉 출판사마다 상황은 다르다고 합니다. 빠르면 2개월에서부터 늦으면 1년이 걸릴 수도 있다고 합니다.

아나〉 잘 알겠습니다. 여러분도 이 책을 읽고 자신의 이야기가 담긴 책을 써본다면 아주 의미가 클 것이라는 생각이 드는군요. 또한, 저도 책 쓰기에 한번 도전해보고 싶다는 생각이 듭니다. 오늘 좋은 책 소개해주신 이야기 꿂이는 주전자의 박미향 대표님께 감사를 드립니다.

박미향〉 가을은 누구나 가슴 속에 한 편의 시를 품는다는 말이 있습니다. 그렇죠. 가을은 누구나 시인이 되어 시를 쓰고 싶어 합니다. 하지만 시는 어렵게만 느껴지고, 특히 시를 쓰고 싶어도 무엇을 어떻게 몰라 쓰지 못하는 경우가 많은데요, 그런 분을 위해 쉽게 시를 쓰는 방법을 알려주고자 이 책을 선정했습니다. 또한, 시월은 한자로 詩와 음이 같아 시의 달이라 할 수 있습니다. 시의 달에 시 한 편 써보는 것도 의미 있는 일인 것 같습니다.
시중에 나와 있는 시작법은 이론 위주가 대부분이라 일반인이 접근하기는 힘이 듭니다. 또한, 이론만으로 시를 쓸 수도 없습니다. 하지만 시인이 시를 쓰는 과정을 눈으로 본다면 시를 쓰는 데 많은 도움이 되지 않을까요? 시의 씨앗은 시적 영감에서 시작한다고 합니다. 영감은 어떻게 오고 그 영감을 어떻게 시적 언어와 연관시키는지의 과정을 볼 수 있다면 처음 시를 쓰고 싶어 하는 사람에게 많은 도움이 될 거로 생각합니다.

아나〉 시월에 시를 한 편 써보면, 아주 아름다운 가을이 되겠네요. 그러면 이 책을 쓴 윤창영 작가는 어떤 사람일까요?

박미향〉 윤창영 작가는 17살 때인 고등학교 1학년 때부터 시를 쓴 시인입니다. 거의 40년이 넘었지요. 국문과를 전공하고 창조문예지를 통해 보리밭이란 가곡을 쓴 박화목 시인의 추천으로 등단을 했습니다. 시집, 자기계발서, 글쓰기 실용서 등 10권이 넘는 책을 출간하며, 다방면으로 현재 왕성한 활동을 하는 시인이기도 합니다. 이 책은 40년 넘게 시를 쓴 경험을 토대로 자신이 쓴 시를 중심으로 시적 영감을 얻은 시점부터 시를 완성하기까지의 과정을 썼기에, 처음 시를 쓰는 사람이 이 책을 읽으면 더 쉽게 시를 쓸 수 있을 거로 생각합니다.

아나〉 40년 동안 한길을 가기가 쉽지가 않은데, 정말 대단한 시인인 것 같다는 생각이 듭니다. 그런데 저는 요즘 시를 대하면 너무 어렵다는 생각이 듭니다. 저와 마찬가지로 일반인들도 시를 읽고 쓰기가 어렵게 느껴지는 것 아닐까요?

박미향〉 그 점에 대하여 작가는 쉬운 시를 쓰자고 주장하고 있습니다.
1부 첫 페이지에
"시인님들이여, 제발 시 좀 쉽게 써주세요."
라는 말이 있습니다. 시인은 쉬운 것을 어렵게 만드는 사람이 아니라, 어려운 것을 독자가 이해하기 쉽게 표현하는 사람이라고 말합니다. 시는 상징과 압축이 들어가기 때문에 어렵게 느껴집니다. 하지만 그렇기에 시를 읽는 독자가 상상할 수 있는 여지가 많습니다. 어떻게 보면 그것이 시를 읽은 재미라고도 할 수 있습니다. 문제는 상징과 압축이 너무 과하여 시를 읽는 것이 마치 수학 기호를 대하는 것처럼 어렵다는 데 문제가 있습니다. 그것이 현대 시가 독자의 선택을 받지 못하는 중요한 이유이기도 합니다. 그런 의미에서 이 책은 시를 읽고 어떻게 시를 쓰는지에 대한 방법을 알려주기에 더 쉽게 시에 다가가는 길을 열어준다고 할 수 있습니다.

아나〉 쉽게 시를 쓰는 방법을 알려준다고 했는데, 이 책에서는 어떻게 쓰면 시를 쉽게 쓸 수 있다고 말하고 있나요?

박미향〉 예, 이 책에서는 시 쓰기의 4단계를 이야기하고 있습니다. 먼저 일상생활을 하거나 여행, 책을 읽을 때, 특히 지금처럼 가을 하늘을 보고 영감을 얻을 때 메모를 해둔다고 합니다. 두 번째 단계로는 현장성을 이야기합니다. 시적 영감과 현실의 상황을 연결하는 과정을 말합니다. 필자는 과거 경험과 현재의 경험과 시대상을 연결하는 경우가 많다고 합니다. 현장성이 없는 시는 추상적으로 되어버려 이해하기가 어렵게 된다고 하는군요. 세 번째 단계는 영감과 현장 상황을 시적 형태로 재구성하는 단계라 말합니다. 시적 형태란 행과 연을 구분하는 것을 말합니다. 그것이 안 되면 산문이 되어버린다고 합니다. 그리고 마지막 단계가 퇴고하는 것이라 말합니다. 퇴고는 많이 하면 할수록 좋은 시가 된다고 말합니다.
그것을 정리하면 영감을 얻으면, 그것을 특정 상황과 연결을 하고, 시의 형태로 재구성을 한 후 퇴고하여 완성된 시로 만든다는 것이지요.

아나〉 그렇군요. 시를 쓸 때 중요하게 다루어야 할 부분도 있을 것 같은데, 작가는 그것을 무엇이라 말하고 있는가요?

박미향〉 예, 작가는 시의 생명을 '낯설게 하기'라고 말합니다. 남이 쓴 표현이나 시상, 생각과는 다른 무언가가 있어야 된다는 것을 말합니다. 즉 기존의 틀을 깨어야 함을 의미합니다. 의미 덩어리가 큰 시어는 그런 틀을 깨기가 어렵다고 합니다. 즉 사랑이나 행복, 슬픔, 이별 등이 의미 덩어리가 큰 시어라고 말합니다. 그런 말을 쓰지 않고도 그런 의미를 독자가 느끼게끔 해주는 것이 중요하다고 합니다. 왜냐면 수많은 사람이 그런 시어를 썼기에 낯설지 않다는 것이지요. 그렇게 하기 위해서는 의미의 세분화를 해야 한다고 합니다. 가령 과일이란 시어를 사용하기보다는 구체적으로 감, 사과, 배 등으로 표현해야 하며, 사과를 표현하기보다는 빨간색, 파란색 등으로 세분화해야 하며, 더욱 세분화하기 위해서는 사과의 맛을 표현해야 한다고 합니다. 그래야 자신만의 표현이 나온다고 말합니다.

아나〉 낯설게 하기가 시의 생명이다. 공감이 가는 말이네요. 그런데 책의 제목이 '영감은 어떻게 시가 되는가'입니다. 시를 쓰려면 먼저 영감부터 얻어야 한다고 하는데, 이 책에서는 영감에 대해 어떻게 말하고 있는가요?

박미향〉 작가는 삶이 곧 시가 되어야 한다고 말합니다. 그래서 생활하는 중에 시적 영감이 떠오르면 그것을 바로 메모를 한다고 합니다. 작가는 어머니와 대화하는 중에, 아내와 대화하는 중에, 일을 하는 중에 불현듯 떠오르는 것을 메모해두었다가 시로 쓴다고 하는군요. 또한, 다른 사람의 시를 읽을 때나 산책을 할 때나 시 낭송을 들을 때 영감이 많이 떠오른다고 말합니다. 그리고 영감은 휘발성이 강하기 때문에 메모해 두지 않으면 금방 날아가 버린다고 하네요. 그래서 시를 쓰고자 하는 사람은 메모하는 습관부터 길러야 한다고 말합니다.

아나〉 영감이 떠올랐다면, 시를 잘 쓰게 하는 방법도 있을까요?

박미향〉 학교 다닐 때 우리는 교과서에서 많은 시를 대했습니다. 시의 소재와 주제를 찾고 시험을 칩니다. 하지만 그런 것들이 실제 시를 쓰는 것에는 큰 도움이 되지 않는다고 하네요. 시를 잘 쓰는 방법으로 세 가지를 말합니다. 그렇게 한다면 전공을 하지 않고, 시 쓰기를 따로 배우지 않아도 시를 잘 쓰게 된다네요.
첫째가 시를 많이 읽어야 합니다. 다른 시인은 어떤 영감을 어떤 형태로 어떤 주제로 표현했는지를 많이 읽어야 한다네요. 두 번째가 시론, 시평 등 시와 관련된 책을 읽어야 합니다. 다른 사람은 어떤 과정을 통해 시를 쓰며, 그 시가 말하는 의미는 어떤 것이며, 어떤 시가 좋은 시인지를 공부해야 한다고 합니다. 세 번째가 가장 중요한 것인데, 많이 쓰는 것입니다. 시는 쓰면서 스스로 방법을 터득하는 것이 가장 좋은 방법이라고 말합니다. 전문가에게 첨삭을 받으면 더욱 좋다고 말합니다.

아나〉 시를 잘 쓰는 방법은 시를 많이 읽고, 시평을 읽으며, 많이 써보는 것이라 말할 수 있겠네요. 그렇다면 책 속에 나와 있는 시 한 편을 소개해주실 수 있을까요?

박미향〉 물론입니다. 이 책에는 작가가 쓴 시에다 작가가 해설을 붙인

부분이 있습니다. 그 부분을 요약하고 한 편의 시를 읽어드리겠습니다.

시의 제목은 '외로우니까 하나님이다' 입니다.

가을이 되니 더 외로워지는 것 같다. 외로움이란 인간이면 피해갈 수 없는 본성의 하나이다. 창조론으로 이야기하자면, 하나님도 외로워서 인간을 만들었다. 부족할 것이 하나도 없는 존재인 하나님에게도 부족한 것이 꼭 하나 있다면 역설적으로 하나라는 것이다. 하나님은 '하나'와 존칭 '님'을 합쳐 하나님이란 말이 된 것이다. 하나님도 그것만은 피해갈 수 없어 인간을 만든 것이다. 그렇기에 하나님의 본성을 물려받은 인간도 외로울 수밖에 없는 것이 당연하다. 라고 시인은 다음에 읽어드릴 시에 관해 설명했습니다. 이제 시를 읽어드리겠습니다.

시(詩)-외로우니까 하나님이다

하나님은 혼자가 외로워
사람을 만들었다.
하나님 가슴에 뿌리내린
사람의 가슴에도
외로움이 담겨있다.

하나님은 혼자가 외로워
사람을 사랑하셨다.
사람에게도 외로움을 줘서

서로 사랑하게 하였다.

그러나 여전히 하나님도 외롭고
사랑을 해도 여전히
사람도 외롭다.

사람들은 '사랑하는 하나님'
이라고 기도를 한다
그렇게 기도를 하도록
하나님이 가르쳤다.

그래도 하나님은 여전히 외롭고
사람도 여전히 외롭다.

외로우니까 사람이다 라는
정호승 시인의 시처럼
외로우니까 하나님이다.

아나〉 이 시를 들으니 가을이 되면 옆구리가 허전한 이유를 알겠네요. 좋은 시 읽어주셔서 감사드립니다. 그런데 이야기 꿇이는 주전자에서 '시월의 마지막 밤'이라는 행사를 한다고 들었습니다. 어떤 행사인지 간단히 소개해 주시겠습니까?

박미향〉 예, 처음에 시월은 시의 달이라고 말씀을 드렸는데요. 시월의 마지막 밤 행사는 10월 31일 이야기 꿆이는 주전자 카페에서 시를 사랑하는 사람이 함께 모여 시를 낭송하며 함께 시에 대해 이야기를 나누는 행사입니다. 누구라도 참석이 가능한 행사입니다. 많이 참여해주시면 감사하겠습니다.

아나〉 가을에 꼭 맞는 의미 깊고 좋은 행사를 기획하셨군요. 여러분도 이 가을 한 편의 시를 읽거나 써보시면 의미가 깊을 것 같습니다. 오늘 말씀 감사드립니다.

돈의 속성-김승호

박미향〉 오늘 소개해 드릴 책은 '돈의 속성'이라는 책입니다. '돈의 속성'은 김밥 파는 CEO 레몬스노 폭스 그룹의 김승호 회장님이 쓰신 책이에요.

아나〉 네 돈의 속성 정말 논쟁거리가 되었던 책이죠. 제목을 보니 그야말로 돈에 관한 이야기가 많을 거 같네요.

박미향〉 네 이 책은 정말 이슈가 되었죠? 베스트셀러 종합 1위! 경제경영 17주 연속 1위! 유튜브 1,100만 명이 시청한 돈의 속성의 완결판이라고 할 수 있습니다. 돈의 속성은 몇 년 전 극장 하나를 빌려 대중에게 강의했던 내용을 기반으로 집필되었습니다.
제가 이 책을 선정한 이유는 작년에는 힘들었던 상황을 이겨내기 위한 이야기를 많이 했는데요. 청취자 여러분들 기억나시나요? 김미경의 리부트부터 죽음의 수용소까지. 많은 책을 소개하고 이야기를 나누어 보았잖아요. 올해는 분위기를 바꾸어서 어떻게 하면 더 부자가 되고 행복한 삶을 살 수 있겠냐는 생각을 해봤어요. 그래서 사업이나 투자로 부자가 된 사람들의 이야기와 그들의 조언이 담긴 책을 찾아봤어요. 그러다가 찾은 것이 이 '돈의 속성'입니다.

아나운서님 사랑하는 사람이나 내가 걸린 병을 고칠 때는 누구를 찾아가나요? 우리나라에서 제일 실력 있는 의사를 찾아가 치료를 받고 싶어 하죠. 이와 마찬가지로 부자가 되는 방법을 찾을 때도 가장 부자인 사람의 조언을 듣는 것이 좋다고 생각해서 자산 가치가 4,000억 원이 넘는 슈퍼 리치, 김승호 회장님의 책을 소개해 드리고자 합니다.

아나〉 네 부자가 되는 방법은 누구나 귀 기울여 들을 것 같은데요. 그것도 엄청난 부자의 방법을 알 수 있다고 하니 벌써 부자가 된 기분이네요. 책 소개 전에 저자인 김승호 회장님의 소개 부탁드릴게요.

박미향〉 네 '돈의 속성'의 저자이신 김승호 회장님은 스노우 폭스 그룹의 회장이시고, 사업과 투자를 통해 어마어마한 부를 일구어낸 분이세요.

아나〉 앞서 4,000억 원의 자산을 가지셨다고 했는데 정말 대단하시네요. 회장님은 어떤 사업을 하셨나요?

박미향〉 네 김승호 회장님은 창업하신 스노우 폭스라는 김밥과 도시락을 파는 테이크아웃 전문 레스토랑의 창업을 했습니다. 1,000여 개의 매장으로 확장되고 전 세계 11개국 총 매장 3,878개의 그룹사로 성장했습니다. 지금은 영국과 캐나다의 외식 기업을 합병해 한인 최초로 글로벌 외식기업 그룹까지 세우셨죠.

그런데 회장님도 처음부터 성공하고 부자였던 건 아니더라고요. 1987년에 대학교 중퇴 후 미국 교민사회로 들어가 흑인 동네의 식료품으로 사업을 시작했는데 일곱 번이나 실패했다고 해요. 이불 가게, 지역 신문사, 증권·선물회사, 컴퓨터조립사업, 건강식품점 등 벌이는 사업마다 망했다고 해요.

아나〉 김승호 회장님도 처음에는 순탄치 않은 시간을 보내셨네요.

박미향〉 네 보통 사람이 실패를 계속하다 보면 마음이 지치고 그만둬야겠다고 생각하게 되기 마련이죠. 그런데 김승호 회장님은 그 힘든 시기에 포기하지 않고 새로운 도전에 나서게 됩니다. 아내의 응원을 받고 또다시 사업에 뛰어들게 되죠. 그렇게 창업한 것이 스노우 폭스 외식 기업이에요. 이때 김승호 회장님이 했던 말이 정말 감명 깊었어요.
"실패할 때마다 성공으로 가는 문은 다가오는 것이다. 왜냐? 더 이상 실패할 이유가 사라져가기 때문이다. 일곱 번의 사업 모두 다른 이유로 실패했다. 나중에 그게 큰 경험이 되었다."
라고 하셨었는데 이 말이 지금 사업을 하고 가게를 운영하시면서 어려움을 겪는 분들께 큰 도움이 되지 않을까 생각해봅니다.

아나〉 와 우리가 정말 엄청난 창업 스토리네요.

박미향〉 네 그리고 김승호 회장님의 또 다른 별명이 사장을 가르치는 사장, 사장 메이커라고 하더라고요. 사장들은 사실 어디 가서 배울 곳이 없거든요. 우리나라의 젊은 사업가들이 자신과 같은 실수를 하지 않기를 바란다고 하시면서 책을 집필하시고 강의를 진행하고 계십니다.

회장님은 강의를 통해 사업을 하고 계시는 사장님들과 예비 창업자들에게 비즈니스 테크닉, 부자가 되는 방법과 삶의 태도를 가르치신다고 해요. 단순히 부자로서 삶을 즐기는 것이 아니라 도움이 필요한 사람들에게 지혜를 나눠주고 있는 회장님의 자세는 정말 본받을 만하죠.

아나〉 네 회장님의 엄청난 소개를 듣고 나니 책 내용이 더욱 기대되네요. 책 내용 소개 부탁드릴게요

박미향〉 네, '돈의 속성'은 김승호 회장님이 사업을 하고 투자를 하며 깨달은 돈과 부자에 대한 통찰을 담고 있는 책이에요. 일반적으로 돈이라는 단어는 속물처럼 보일 수 있어서 괜히 꺼리게 되죠. 하지만 돈이 세속적이라는 이유로 방치하고 두려운 거라고 계속 피해 다니면 그 피해가 나와 내 가족에게까지 이어지며, 평생 노동의 굴레를 벗어날 수 없다고 저자는 이야기하고 있어요.
그리고 가난의 가장 바닥부터 최상급의 위치에까지 오르면서 저자는 돈의 여러 속성에 대해 경험해볼 기회가 있었다고 합니다. 이 경험들에서 얻은 통찰과 지혜를 하나하나 소개한 것이 이 책이죠. 저도 실은 이런 돈에 관련된 책은 예전부터 괜히 꺼려져서 읽지 않았거든요. 인문학 하는 사람이 돈에 관한 책을 읽는다는 것이 좀 그렇더라고요. 그런데 이 책을 읽고 나서 제가 세상에 눈을 확 뜨고 말았습니다. 요즘 돈과 부에 관련 책을 10 권 넘게 사서 아주 열심히 읽고 있습니다.
이 책은 짧게는 3 페이지, 길게는 5 페이지의 짧은 글들로 이루어져 있어요. 총 75 가지의 이야기를 통해 돈에 대한 통찰, 부자가 갖추어야 할 생각과 부자의 태도를 쉽고 재미있게 풀어놨죠.

그래서 책을 읽을 시간이 없으신 분들이나 오래 책을 못 보시는 분들도 짧게라도 책을 읽어나가기가 쉬울 거 같아요. 이야기마다 길이는 짧지만, 그 안에 들어있는 지혜는 엄청나므로 옆에 놔두고 필요할 때마다 답이 될만한 부분을 찾아 읽는다면 해결책이 될 수도 있을 거예요.

아나〉 오, 책에서 이야기하는 돈의 속성은 어떤 것들이 있나요?

박미향〉 네 김승호 회장은 책의 맨 처음에서 돈은 사람과 같은 인격체라고 강력하게 말하고 있어요. 돈을 사람 대하듯 인격적으로 대하란 말에 큰 충격을 받았는데요. 돈은 사람과 비슷하게 행동하고, 감정을 가진 실체이며 언제나 돈을 가진 주인을 지켜보고 있다고 합니다. 그러므로 돈과 함께 사는 법을 배우고 항상 존중하고 감사해야 한다는 거죠.
우리도 나한테 무심하거나 함부로 대하는 사람과 함께 있다 보면 자리를 피하고 싶고 연락이 오거나 만날 일이 있어도 꺼려지기 마련이죠. 그리고 작은 것도 신경 써주고 챙겨주는 사람과 함께 하는 걸 더 좋아합니다. 돈도 마찬가지로 자기를 소중히 여기는 사람에게 붙어 있기를 좋아하고, 함부로 대하는 사람에게는 멀리멀리 떠난다고 하죠.
그러므로 저자는 돈에 관해서 공부를 꾸준히 하면서 자식을 좋은 학교에 보내듯이 좋은 곳으로 보내주라고 하고 있어요. 즉, 투자하고 좋은 일에 돈을 쓰란 뜻이죠. 그러면 돈이 더 불어나고, 선한 영향력으로 자신에게 돌아온다고 합니다.

아나〉 네 김승호 회장님은 정말 돈에 대해 남다른 통찰력을 가지고 계시네요. 부자가 되는 방법에 대해서는 어떤 이야기를 하고 있나요?

박미향〉 네 부자가 되는 방법에 대해서는 다섯 가지 능력을 소개하고 있어요. 돈을 버는 능력, 돈을 모으는 능력, 돈을 유지하는 능력, 돈을 불리는 능력, 돈을 쓰는 능력이 있는데 이 능력을 다 갖춰야 만이 진정한 부자가 된다고 하죠. 항상 돈을 어떻게 많이 벌 수 있겠냐는 생각만 했었는데, 돈을 모으고 유지하고 불리고 쓰는 능력도 중요하다고 하니 정말 새롭게 다가왔어요. 꼭 각각의 능력에 대해 배우고 키우고 싶더라고요. 이 생각을 하고 나니 제가 돈을 어떻게 생각하고 대했는지 더 명확하게 알 수가 있었어요.

아나〉 와 정말 대단한데요!

박미향〉 네 또 하나의 중요한 통찰에 대해서 말씀드리고 싶은데, 그건 바로 빨리 부자가 되려면 빨리 부자가 돼야 한다는 생각을 버리라는 거에요. 빨리 부자가 되려는 마음은 누군가와 나를 비교하거나 나를 주변에 과시하고 싶은 마음이라며 그런 욕심이 생기면 올바른 판단을 할 수가 없다고 합니다. 그러다 보면 마음이 급해져 결국엔 사업과 투자에 있어서 사기를 당하거나 실패의 길로 들어서는 것이죠.
앞서 말씀드린 5 가지 능력이 부자가 되기 위해서는 필수적인데, 이 능력들을 다 배우기에는 40 대는 빠르고 50 대에도 버겁다고 합니다. 그래서 욕심을 줄여가며 자산을 점점 키워서 자본 이익이 노동에서 버는 돈보다 많아지도록 꾸준히 공부하고 일을 해나가는 것이 가장 빨리 부자가 되는 방법이라고 이야기해요.

아나〉 부자가 되기 위해서는 부자가 되고 싶은 욕심을 버려야 한다. 꼭 가슴에 새기고 작은 것부터 실천해 나가야겠네요.

박미향〉 네 제가 소개한 것들뿐만 아니라 읽으면 큰 도움이 될 내용이 많아요. 돈을 모으지 못하는 이유, 주식으로 수익을 내는 사람들의 세 가지 특징, 이런 곳에 나는 투자 안 한다. 좋은 돈이 찾아오게 하는 일곱 가지 비법 등 돈을 버는 원리 부자의 태도를 알려주고 있어요. 특히 부자라면 갖춰야 할 태도에 대해서 강조를 하면서 그 태도를 배워 꼭 부자가 되라고 합니다. 그 태도들을 읽어보면 우리가 행복한 삶을 살고 사람들과 좋은 관계를 유지하고 세상에 선한 영향을 주기 위해 꼭 필요한 태도들이더라고요. 그래서 이 책을 두고두고 읽으면서 점점 더 좋아지는 삶을 살자고 생각하고 있어요.

아나〉 네, 책 소개와 정말 좋은 말씀 감사합니다. 혹시 이 책과 함께 읽으면 좋은 책이 있을까요?

박미향〉 네 '더 헤빙'이라는 책을 소개해 드리고 싶습니다. 이 책은 또 다른 방식으로 부자가 되는 방법에 관해 공부하고, 많은 사람에게 조언을 해준 이서윤 씨가 쓴 책으로 돈에 대해 우리가 가져야 할 마음가짐을 가장 새롭게 담고 있는 책이라고 소개되고 있는데요. '헤빙'이라는 단어로 소개되고 있음을 느끼는 감정을 통해 부자가 되는 방법을 알려줍니다. '돈의 속성'이 부자의 태도와 생각, 그리고 돈에 대한 통찰을 보여줬다면, '더 혜빙'은 부자가 되기 위한 마음가짐을 알려준다고 보시면 되겠습니다. 그래서 이 책들을 같이 읽으면 부자가 되는 방법은 모두 다 알 수 있지 않을까 생각합니다

1만 시간의 재발견-안데르스 에릭슨

박미향〉 '1만 시간의 재발견'이라는 책을 소개해 드리겠습니다. '1만 시간의 법칙' 들어보셨나요?

아나〉 네, 1만 시간의 법칙, 정말 유명한 법칙이죠? 누구나 1만 시간 정도의 기간 노력하면 전문가가 될 수 있다고 해서 큰 화제가 되었죠?

박미향〉 네 맞습니다. 오늘은 '1만 시간의 재발견'이라는 책을 통해 어떻게 하면 자신의 분야에서 전문가가 되고 뛰어난 성과를 낼 수 있는지 얘기해보려고 해요. 그리고 우리가 알고 있는 '1만 시간의 법칙'에는 조금 오류가 있는데 그 부분이 무엇인지 알아보고, 오류를 바로잡은 진정한 1만 시간의 법칙은 무엇인지 함께 알아보시죠.

아나〉 네, 이 책을 고르게 된 이유는 무엇인가요?

박미향〉 지난주에 소개해 드렸던 '돈의 속성'에서 부자가 되는 방법에 관해서 얘기를 나눠 봤었죠. 그 책이 부자가 되기 위한 태도와 생각이 주제였기 때문에 좀 더 구체적으로 내 실력을 키울 방법은 없겠냐는 생각을 하다가 이 책을 찾게 되었습니다.

사람들에게 인정을 받고 매력적인 상품을 만들어서 매출을 올리고, 자기 분야에서 전문가가 되어야 우리는 성공 할 수 있는데요. 내가 하고자 하는 일을 이루려면 그것에 걸맞은 실력이 꼭 필요합니다. 누구나 처음부터는 잘할 수는 없지만 올바른 방법으로 꾸준한 노력을 한다면 우리의 능력을 한 단계 발전시켜 주고 탁월한 능력을 갖춘 대가가 될 수 있다는 메시지를 담은 이 책은 청취자분들과 많은 사람에게 큰 희망이 될 거 같습니다.

아나〉 네 누구나 실력을 기를 수 있다고 하니 오늘도 책 내용이 궁금해지는데요. 책 소개 전에 저자 소개 먼저 부탁드릴게요.

박미향〉 네 '1만 시간의 재발견'의 저자인 안데르스 에릭슨은 스위스 출신의 세계적인 심리학자 이자 '1만 시간의 법칙' 처음으로 만든 창시자예요. '전문성'이라는 주제를 가지고 처음 심리학 분야에서 연구를 시작한 이후로, 지금은 전문 분야 연구의 최고 권위자라고 해요. 뛰어난 성과를 얻은 사람들을 분석하고 조사해서 어떻게 하면 탁월한 수행 능력을 획득했는지 연구했고, 거기서 알아낸 비결이 정말로 효과가 있는지까지 역추적하며 연구를 했다고 하네요.
그리고 저자는 여러 대학에서 교수로 재직하면서 연구를 하고 학생들을 가르쳤어요. 2010년에는 노벨상을 심사하고 수여하는 스웨덴 왕립과학 아카데미 회원으로도 선출되어 활동했다고 합니다. 지금은 플로리다 주립대학교 심리학과 교수로 활동하고 있다고 하네요.

아나〉 네 책 내용 소개 부탁드릴게요.

박미향> 네, 이 책은 앞서 말씀드린 것처럼 어떻게 하면 실력을 기르고 성과를 낼 수 있는지에 관한 책이에요. 그 방법은 올바른 방법으로 오랫동안 연습하고 노력하면 된다는 것이라고 저자는 설명하고 있어요. 저자는 이를 '의식적인 연습'이라고 부르는데요. 책 안에서 이 '의식적인 연습'에 대해서 설명하고, 이 방법이 진짜 효과가 있는지에 대해 많은 사례와 연구 결과에 관해 이야기해주고 있습니다.

아나> 네 이 '의식적인 연습'이 1만 시간의 법칙과는 어떤 연관성이 있나요?

박미향> 네, 1만 시간의 법칙은 1993년에 이미 저자의 연구 결과로 발표가 되었는데요. 이 연구 결과가 대중에게 엄청난 관심을 끌게 된 것은 2008년이라고 해요. 저널리스트이자 작가인 말콤 글래드웰의 '아웃라이어'라는 책에서 '1만 시간의 법칙'이 소개되어 많은 사람에게 소개되었는데요. 말콤 글래드웰 또한 상위 1%의 성공과 부의 비결이 무엇인지 궁금해서 연구하고 조사를 했었죠. 그리고 그 비결이 1만 시간에 달하는 연습 시간이 그 비결이라고 결론을 지었죠.
이때 엄청나게 대중화되면서 이 1만 시간의 법칙이 이슈가 되었는데요. 김연아 선수의 넘어지면서 연습하는 모습, 강수지 발레리나의 연습하며 신었던 발레화, 박지성 선수의 구둔 살과 상처투성이인 발 사진으로 같이 나오면서 소개되었는데요. 이것이 우리가 흔히 아는 '어떤 분야든 거장의 경지에 오르면 1만 시간이 연습이 필요하다는 1만 시간의 법칙'이죠. 그런데 안데르스 에릭슨은 우리가 생각하는 1만 시간의 법칙에 오류가 있다고 본인의 책 일만 시간의 재발견에서 정확하게 집어주고 있습니다.

아나> 아웃라이어에서 소개된 1만 시간의 법칙에는 어떤 오류가 있나요?

박미향> 네 총 세 가지의 오류가 있는데요. 첫 번째로 최고가 되는 데 필요한 연습 시간은 분야마다 다르다고 합니다. 물론 많은 시간의 연습이 필요하긴 하지만 어떤 경우에는 더 짧은 시간이 걸리기도 하고, 더 많은 시간이 들기도 한다는 거죠. 우리 주변에는 1만 시간을 투자한 사람들을 많이 볼 수 있습니다. 회사를 10년 넘게 다닌 사람들, 취미활동으로 당구를 20년 넘게 친 사람들. 이런 사람들은 아마추어보다 조금 잘하는 정도이지 탁월한 능력을 보여주지 않고 있죠. 1년 넘게 일하나 의사들보다 탁월한 수술 실력을 보여주는 년 경력도 안 된 의사들. 1년 넘게 직장생활을 해온 선배보다 뛰어난 두각을 보여주는 후배들이 많이 있죠? 이런 경우들을 보며 우리는 꼭 1만 시간만 투자했다고 해서 뛰어난 전문가가 되는 것이 아니라는 것을 알 수 있습니다.

아나> 네 그렇군요. 1만 시간의 핵심이 1만 시간이었는데 그게 아니었군요. 많은 사람이 잘못 알고 있을 텐데 정확히 알려주면 좋을 거 같네요.

박미향〉 네 그리고 두 번째 오류는 연습 방법이에요. 그전에는 연습하는 시간만 강조가 되었는데 저자는 아무리 많은 시간을 들여도 올바른 방법으로 연습하지 않으면 성과를 내기 힘들다고 합니다. 잘못된 방법으로 연습을 하거나 똑같은 방식으로 연습을 한다면 1 만 시간의 노력도 소용이 없다는 거죠. 특정 능력을 향상하기 위해 특별히 준비된 맞춤 훈련이 꼭 필요하다고 하는데 그 맞춤 훈련이 바로 '의식적인 연습'인 거죠.

아나〉 네 '의식적인 연습'은 어떤 거죠?

박미향〉 네 '의식적인 연습'은 능력을 개발하기 위해 체계적으로 계획된 연습을 말해요. 최고가 되고 성과를 낸 사람들이 어떤 능력을 갖추고 있는지 알아내고, 그 능력을 갖추기 위해서 어떤 방식으로 연습을 했는지를 알면 우리는 그 방식대로 의식적 연습을 하는 거죠. 예를 들어 누구나 달리기를 할 수 있지만, 올림픽 마라톤 선수들은 무작정 달리는 것이 아니라 보통 사람들과는 완전 다른 연습을 합니다. 2 시간 이상 오래 달릴 수 있도록 호흡법을 익히고, 자시만의 페이스를 유지하는 방법을 찾아내고, 누구보다 빠르게 뛰는 연습을 하는 거죠.

아나〉 네, 분야마다 방법이 다 다를 거 같은데 그럼 그 방법들은 어떻게 찾아내나요?

박미향〉 네 저자가 제안하는 방법 4 까지가 있습니다. 첫 번째 명확하고 구체적인 목표를 가져라. 두 번째, 집중해라. 세 번째는 피드백 받아라. 네 번째는 컴포트 존에서 벗어나라. 제가 조금 자세하게 설명해 드리도록 하겠습니다.
첫 번째는 명확하고 구체적 목표를 가지라는 목표에 있어서 더 명확하고 쪼개어서 목표 설정하라는 이야긴데요. 예를 들면 한 곡 완주가 아니라 네마다 연습, 리듬 연습, 박자 연습 몇 번 이런 식으로 구체적이고 명확하게 계획을 하는 겁니다. 비즈니스에서도 하루에 5 명 이상 만나기, 2 명 이상 고객 추천받기처럼 구체적이고 명확하게 목표를 설정하는 것이 중요합니다.
두 번째는 집중해라인데 첫 번째 선결 요건이 갖추어지면 자연스럽게 해결되는데요. 구체적인 목표가 있으면 그것에 자연스럽게 그것에 집중할 수 있습니다.
세 번째 피드백 받아라 입니다. 훈련하고 난 뒤 꼭 스스로 확인 해야 한다는 겁니다. 여기서 더 좋은 방법은 전문가나, 코치 선생님께 피드백을 받으면 더 효과적인 방법으로 훈련할 수 있다고 이야기합니다.
네 번째로 자신의 컴포트 존을 벗어날 수 있게 연습하라고 합니다. 여기서 컴포트 존은 자신이 가진 능력을 뜻하는 말로 편하게 자신의 능력을 발휘할 수 있는 범위에요.
100m 달리기를 19 초에 뛴다면 그 19 초가 지금의 컴포트 존이죠. 저자의 말대로 컴포트 존을 벗어나도록 연습을 하는 것은 100m 를 18 초에 뛰도록 연습을 하고, 쉽게 18 초에 100m 를 뛸 수 있게 된 다음에는 17 초에 뛰도록 하는 것이죠.
정리하자면, 결국 성과를 내기 위해서는 오랜 시간 동안 체계적인 연습을 통해서 자신의 능력을 조금씩 더 나아지게 만드는 거예요. 능력이 조금씩 나아지는 게 오랜 시간 쌓이다 보면 최고가 될 수 있다는 거죠.

아나〉 네 그리고 소개해준 방법은 누구나 하고 있을 법한 노력인데 추가로 더 특별한 게 있을까요?

박미향〉 네 저자는 추가로 이 모든 것에 동기부여가 되어야 한다고 설명하고 있습니다. 어떤 분야에서 전문가를 찾아내고, 보통 사람들과 차이점이 무엇인지를 찾아내고, 어떻게 그런 능력을 갖추게 된 것인지를 요소를 파악하는 것이에요. 우리는 유튜브나 TV, 책을 통해서 그 방법들을 알 수 있겠죠? 여러분도 모두 이 방법을 사용하시면 한 분야에 탁월한 능력을 갖춘 대가가 되실 수 있습니다.

◇아나〉 네 그게 바로 저자가 말하는 1 만 시간의 재발견이군요!

박미향〉 네 맞습니다. 그리고 마지막에 '재능'이라는 지름길은 따로 없다고 말하고 있어요. 수십 년 동안 진행된 전문성 연구의 결과는 타고난 것에 관계없이 누구나 노력을 통해 최고가 될 가능성을 가지고 있다는 것이라고 합니다. 흔히 우리가 엄청난 재능을 가지고 있다고 생각하는 사람들도 그 자리에 오르기까지 어마어마한 노력을 했다고 강조하죠. 타고난 천재로 대표되는 모차르트도 연습과 노력을 통해 비범한 연주자이자 작곡가가 될 수 있었다고 합니다. 또 유명 스포츠 선수나 바이올린, 피아노 연주자들도 마찬가지고요. 여러분들도 이 책을 읽는다면 누구나 최고의 자리에 오를 수 있는 희망을 가지실 거로 생각합니다. 올바른 노력 즉 의식적 연습을 통해 실력을 키우고 자신이 원하는 위치까지 갈 수 있으니까요.

아나〉 네 책 소개와 정말 좋은 말씀 감사합니다. 혹시 이 책과 함께 읽으면 좋은 책이 있을까요?

박미향〉 네 "그릿"이라는 책을 소개해 드리고 싶습니다. 미국 심리학자 앤젤라던 코워크가 개념화한 용어로, 성공과 성취를 끌어내는 데 결정적인 역할을 하는 투지, 또는 용기를 뜻합니다. 그러나 이는 단순한 열정과 근성만을 의지하는 것이 아니라, 담대함과 낙담하지 않고 매달리는 끈기이며, 몇 년에 걸쳐 열심히 노력하는 것이라고 강조한 바 있습니다.
더크워스는 2013년 TED 강연에서 그릿을 처음 소개하며 책을 발간했는데 바로 베스트셀러 작가 대열로 합류하였습니다. 이 책의 핵심은 재능보다 노력의 힘을 강조했습니다. 즉 평범한 지능이나 재능을 가진 사람도 열정과 끈기로 노력하면 최고의 성취를 이룰 수 있다는 뜻을 담고 있습니다. 2022년 우리 모두 성장이라는 관점에서 '1만 시간의 재발견'과 '그릿'을 같이 읽는다면 정말 도움이 될 거 같습니다.

PART2. 읽고, 생각하고, 창작하는 박미향 독서법

읽고, 생각하고, 창작하는 박미향 독서법

사람마다 자기만의 독서법이 있을 것이다. 한 번 읽고 마는 사람이 있는가 하면, 감명 깊게 읽은 책은 되풀이하여 읽는 사람도 있을 것이다. 정독을 중요하게 생각하는 사람이 있는가 하면 다독을 선호하는 사람도 있다. 나는 후자에 속했다. 한 번 읽은 책은 다시 읽지 않았다. 읽는 순간이면 족하다고 생각했다.

난 책을 읽지 않는 사람이었다. 1년에 10권 내외의 책을 읽었다. 하지만 최근에 독서패턴이 바뀌었다. 1달에 10권 정도를 읽기를 목표로 하고 정독을 했다. 그러면서 '읽고, 생각하고, 쓰는'책 읽기를 시작했다.

책을 읽다 보니 한 작가의 책을 여러 권 읽게 되는 경우가 생겼고, 그 작가에 대해 깊이 있게 생각해보게 되기도 했다. 첫 번째 작가가 공지영이다.

내숭 떨지 않는 직구, 공지영 작가

책을 읽다 보니 한 작가의 책을 여러 권 읽게 되는 경우가 생겼고, 그 작가에 대해 깊이 있게 생각해보게 되기도 했다. 첫 번째 작가가 공지영이다.

공지영, 1963년 서울 출생, 한국의 소설가. 1990년대에 가장 왕성하게 작품활동을 한 대표적인 소설가 가운데 한 사람이다. 주로 학생운동을 하던 사람의 정신적 공황에 관한 이야기나 가부장적 남성에 의해 억압받는 여성에 관한 이야기를 소설로 썼다. 1985 연세대학교 영어영문학과를 졸업했다. 『문학의 시대』에 시 「이태원의 하늘」로 등단하였고 1988 『창작과비평』 가을호에 「동트는 새벽」을 발표하면서 작품활동 시작했다. 많은 베스트셀러 작품을 출간한 작가이며, 현재 민족문학작가회의 이사이다.

우리들의 행복한 시간

이 책에서는 세 번이나 자살을 시도한 여주인공(세 번 이혼한 공지영의 현실이 투영된 것이란 생각을 했다.)과 사형수의 이야기가 담겨있다. 죽고 싶었지만 산 여자와 살고 싶지만 죽어야 하는 사형수의 만남 이야기다. 그것이 사랑이라 말할 수도 있고 아니라고 말할 수도 있는 그 경계에 있는 이야기다. 결국 사형수는 사형을 당한다.

소설은 몇 번의 울컥거림을 갖는 감동으로 끝나지만, 감동적인 소설이라고 해서 살인한 사람의 행위에 대해서까지 정당성을 갖기는 어렵다. 하지만 생각해 볼 여지는 있다. 사람은 누구나 아기로 태어난다. 그런데 누군가는 사람을 죽이고 법정에 서고, 누군가는 재판관이 되어 죄를 심판한다. 그리고 우리는 모두 누군가가 되어 무엇이 된다. 지금의 나는 반쯤은 내가 선택한 것이고, 반쯤은 환경에 영향을 받았으리라. 태어날 때부터 악인으로 태어난 아기는 없다. 자라면서 그렇게 되는 것이다. 죄를 짓지 않는 사람은 없다. 그런데 누군가는 감옥에 있고 누군가는 감옥 밖에 있을 뿐이다. 또한 공통점이 있다. 누구나 사랑받고, 사랑하고 싶다는 것. 사랑이라는 꿀을 찾는다는 것.

누구나 행복을 찾고 사랑을 찾는다. 하지만 어떻게 하다 보니 누구는 감옥 속에 있고 누구는 행복 속에 있다. 하지만 누구나 죽음을 맞이하는 것은 똑같다. 하지만 행복을 찾고 사랑을 찾는 그 시간은 행복한 시간 임이 분명하다.

소설 속, 모니카 고모가 사형수에게 한 말

"종교를 뭘 믿으면 어떻니? 또 안 믿으면 어떻니? 하루를 살아도 사람답게 산다는 거... 그게 중요한 거지. 그럴 리 없겠지만 혹여 네가 너 자신을 미워하는 사람이라면 그런 너를 위해 예수님이 오신 거야. 너 자신을 사랑하라고. 네가 얼마나 귀중한 사람인지 알려주시려고. 혹여 네가 앞으로 누군가에게 따뜻힘을 느낀다면, 혹시 네가 이런 게 사랑받는 거로구나, 하고 느낀다면 그건 하느님이 보내주신 천사라고 생각했으면 하는 거야... 오늘 널 처음 보지만 나는 안다. 넌 마음이 따뜻한 녀석이야. 네 죄가 무엇이든 간에 그게 전부 다 너는 아닌 거야."

죄 없는 사람이 이 여자를 돌로 쳐라. 간음한 여자를 돌로 쳐 죽이려고 모인 유대인 군중에게 예수님이 한 말이다. 그러자 군중은 하나둘씩 자리를 떠났다. 결국 남은 사람은 하나도 없었다. 그런 성경 말씀이 있다. 죄 없는 사람이 누가 있으랴. 공지영의 글을 읽고 몇 가지를 생각한다. 하나는 살인자일망정 귀중하지 않은 목숨은 없다는 것이며, 하나는 누구도 죄를 짓지 않은 사람은 없다는 것이며, 하나는 죄에 대한 대응 방식이다.
들춰내려고 마음먹는다면, 먼지 없는 삶이 어디 있으랴? 나 또한 마찬가지다. 지나가는 행인 또한 죄를 짓지 않은 사람이 얼마나 될까? 인간이기 때문에 죄를 짓는 것이다. 하지만 "네 죄가 무엇이든 간에 그게 전부 다 너는 아닌 거야."라는 공지영의 말처럼 죄가 무엇이든 간에 그게 그 사람의 전부는 아니다. 색안경을 끼고 보면 그 색으로 보일 뿐이다. 그 색깔이 죄의 색깔인지, 선의 색깔인지.

"나는 매일 미사를 가려고 노력했고 매일 달리기를 하려고 했다. 하나는 내 정신을 위한 것이고 하나는 내 몸을 위한 것이었다. 쓰기 위해서 최상의 컨디션이 필요했다."

치열한 작가정신이다. 이것을 읽고 작가의 자세가 어때야 하는지를 조금 깨달았다. 난 책을 읽고 글을 쓰는 것이 좋다. 마냥 좋다. 태어나서 이토록 좋아하는 일을 할 수 있다는 것은 축복이다. 얼마나 큰 행복인가?

괜찮다 다 괜찮다[1]-공지영, 지승호 공저

전문 인터뷰어 지승호가 '베스트셀러 작가'. '가장 사랑받는 작가', '앞으로 가장 기대되는 작가' 설문 조사에서 1위 또는 상위권에 늘 오르는 작가 공지영을 만났다. 그동안 독자들이 궁금해했던 이야기, 듣고 싶었던 이야기를 모아서 그들을 대신해 공지영에게 물었다. 이 책은 공시영이 쓴 작품에 대해 지승호가 묻고 공지영이 답하는 방식으로 서술되어 있다. 2008년에 나온 책이다.

공지영의 매력은

"사생활에 대해 내숭 떨지 않는 정직성(소설가 박완서)“

으로 독자들로부터 '내 이야기 같다'라는 공감대를 이끌어낸다. 공지영의 글은 나에게 많은 영감을 불러일으켰다. 감성의 결이 곱고 깊이가 있다.
공지영이 쓴‘네가 어떤 삶을 살든 나는 너를 응원할 것이다.’라는 책은 딸에게 보내는 편지 형식의 글이었다. 그 글을 읽고 깊이 공감했다.

---

1) 알마 출판사

그리고'괜찮다, 다 괜찮다.' 부모가 자식에게 해주는 가장 좋은 말이라는 생각을 한다. 그랬기에 이 책은 제목부터가 나에게 와닿은 책이다.
요즈음 김훈의 '자전거 여행'을 다시 읽고 있다. 그 책에도 이와 똑같은 말이 나온다. 둘 중에 누가 훔쳤는지는 알 수 없다. 공지영의 작품세계가 공지영의 현실과 어떻게 연결되는가를 알고 싶다면 이 책을 읽어보기를 추천한다. 아무래도 공지영의 말을 썼지만, 공지영의 문장으로 다가오지 않은 것이 아쉬움이라면 아쉬움이다.

네가 어떤 삶을 살든 나는 너를 응원할 것이다-공지영

엄마가 딸에게 쓰는 편지 형식의 책이다. 어쩌면 작가가 누군가의 딸인 자신에게 들려주는 말일 수도 있고, 전혀 모르는 이 시대의 딸로 태어난 모든 사람에게 보내는 말일 수도 있다. 또한, 동시대를 사는 모든 남자에게 하는 말일 수도 있다.

"어떤 사람을 만나거든 잘 살펴봐. 그가 헤어질 때 정말 좋게 헤어질 사람인지를 말이야. 헤어짐을 예의 바르고 아쉽게 만들고 영원히 좋은 사람으로 기억나며 그 사람을 알았던 것이 내 인생에 분명 하나의 행운이었다고 생각될 그런 사람.
허녕, 엄마가 나이 들어 얻은 선물이 있다면 위대하다는 것이 단순하다는 것을 깨달은 거야. 그중에 하나가 사랑이야. 그걸 진부하다고 하면 안 된다. 너희들이 엄마, 엄마 부르는 소리가 인류가 탄생한 이래 수천만 년 동안 계속되었지만, 누구에게든 가슴이 미어지고 절절한 그런 소리였다."

인간은 관계라는 강에서 숨 쉬는 물고기와 같다. 그렇기에 살아가는 과정은 관계를 맺는 일이라 할 수 있다. 관계는 인생에 있어

고기에게 물과 같은 역할을 한다. 고기가 물을 떠나 살 수 없듯이 인간도 관계를 떠나서 살 수 없다. 그런데 강물이 항상 맑을 수만도 없으며, 영원하지도 않다. 강물이 바다로 흘러가 바닷물이 되듯이. 모든 관계는 이별을 전제로 한다. 죽으면서 이별하든지, 살아있는 상태에서 이별하기도 한다. 그런데 그 이별까지 행운이 되는 관계는 정령 아름다운 관계라 말할 수 있다.

사랑이 위대하여지려면 단순해져야 한다. 짐을 많이 들고 걸으면, 든 만큼 힘이 든다. 사랑도 마찬가지다. 욕망, 기대, 질투 등의 감정을 등에 짊어 메고 사랑하게 되면, 시간이 갈수록 힘이 들어 지친다. 단순하다는 것은 많은 의미를 가지는 것이 아닌 것을 의미한다. 하나의 의미, 즉 진실이다. 진실하게 사랑하는 것만이 좋은 사랑 방식이며 행복해지는 길이라는 생각이 들었다.

"엄만 슬프고 기쁜 사랑을 했다. 그러나 사랑했던 기억은 엄마를 따뜻하게 한다. 엄마를 후회하게 만드는 것은 사랑이 아니라 아마도 욕심과 집착과 질투 그리고 미움 같은 것들이었어. 이제 엄마의 나날은 이렇게 저문다. 그게 꼭 젊은 너희들의 상상처럼 나쁜 것은 아니야. 때로는 쓸쓸함 속에서 지난날을 떠올리며 유혹당하고 상처받았던 나 자신을 용서하고 다독이며 위로하는 것도 사랑의 일부니까 말이야."

나 자신을 용서하고 다독이며 위로하자는 말에 깊이 공감했다. 나에게 상처를 입힌 누군가를 용서한다는 것은 쉽지 않은 일이다. 누구에게나 생은 한 번밖에 없다. 두 번째 생을 산다면 첫 번째는 연습이라 말할 수도 있지만, 연습으로 사는 인생은 없다.
살아가면서 다른 사람에게 상처를 주기도 하고 상처를 받기도 하는 것은 필연적으로 일어나는 일이다. 때로는 자신이 스스로에게 상처를 주기도 한다. 상처를 대하는 태도는 중요하다. 그리고 용서하는 자세를 가지기도 쉽지 않다. 하지만 나를 용서하든, 다른 사람을 용서하든 용서하는 것이 마음의 짐을 내려놓는 일이 된다. 마음의 평안을 얻기 위해서는 용서가 뒤따라야 한다. 그것이 나를 위하는 길이다.
지난날을 용서하자, 더 늦기 전에. 나에게 상처입힌 사람보다 먼저 나 자신을 용서하자. 그래야 다른 사람도 용서할 수 있다. 나도 인생이 처음이고 다른 이도 인생이 처음이다. 처음엔 모두가 서툰 법이다. 사랑에도 서툴고, 상처에도 서툴다. 실패에도 절망에도 그 모든 것이 서툴다.
나를 위해서, 다른 이를 위해서 용서하자. 우리는 모두 인생이 처음이라 모두 서툴기 때문이다.

공지영은 문장 자체가 좋다. 간결하고 감성적이다. 그리고 감성을 독자가 아주 공감할 수 있게 섬세한 문장으로 서술한다. 앞으로도 공지영 책을 자주 읽으며, 그 세계에 빠져들 것이란 예감이 든다.

맑고 향기로운 사람 법정-백금남

백금우가 소설 형식을 빌려 쓴 법정 이야기다. 기독교인인 김영삼 대통령 정부 시절 독립기념관을 비롯해 몇 개의 사찰 연못에 불교의 상징인 연꽃을 없앤 적이 있다. 법정은 그 사실에 분노해 동아일보에 '연꽃이 없더라'라는 제목의 항의성 글을 실었고, 결국 정부는 다시 연꽃을 심었다. 책 내용 중에 이런 말이 나온다.

"연꽃이 무슨 죄가 있는가. 그것이 기독교의 상징이든 불교의 상징이든 그리 중요할까. 꽃이었다. 꽃. 연못에 피어난 꽃. 그 꽃은 많은 이에게 기쁨을 주고 행복을 주어왔다."

난 어릴 때부터 교회에 다녔다. 다니다 말기를 반복하면서 지금까지 왔다. 지금도 교회에는 다닌다. 그러다 보니 내 의식의 밑바탕에는 기독교의 정서가 흐르고 있다. 이제껏 불교에 대해서는 편견이 심했다. 그도 그럴 것이 기독교는 다른 종교를 부정하기 때문이다. '나 이외에 다른 신을 두지 말라'라고 말한 하나님 말씀을 나 이외에는 다른 종교를 부정하라는 말로 해석했기 때문이리라. 종교에 따른 분쟁은 역사상 끊이지 않고 일어났다. 지금도 세계 곳곳에는 자기들 종교만이 옳고 다른 종교는 이단이라는 이유로 분쟁이 끊이질 않는다. 내 종교가 중요하듯 다른 종교도 중요하다는 걸 인정할 때, 종교에 따른 분쟁은 사라질 것이다.

불교에는 신이 없다. 부처는 신과는 다른 개념이다. 그런데 불상을 우상이라 인식하고 우상을 세워 절을 한다는 이유로 기독교는 불교를 이단으로 취급한다. 어릴 때부터 기독교를 접했기에 살아오면서 제사를 지내지 않았다. 기독교인에게는 당연한 일이다.

그러다 보니 절이나 스님에 대해서도 편견을 가지고 있었다. 하지만 최근 몇 권의 법정 스님의 책을 읽고 내 종교관의 많은 부분이 편견에 사로잡혀 있었음을 깨달았다. 법정은 불교만이 옳다고 하지 않았고, 다른 종교의 많은 이들과 교류했다. 그것이 종교인이 가져야 할 기본적인 자세라는 걸 배웠다. 다름을 인정하는 것. 다름은 틀린 것이 아니다.

자본주의는 소유를 기본으로 하는 이데올로기다. 무소유란 그와는 반대되는 개념이다. 소유는 아무리 많이 해도 그것이 행복을 주지는 못한다. 돈이 주는 행복은 일시적이며, 유효기간이 있다. 하지만 무소유의 행복은 유효기간이 없다. 무소유란 아무것도 가지지 않는 것이 아니라 자신에게 필요 없는 것을 가지지 않음을 말한다고 난 이해한다. 즉 욕심을 버리는 마음이다.

법정은 1932년에 태어나 2010년 3월에 입적했다. 1932년은 윤봉길 의사가 홍커우 공원에서 일본 군인을 향해 폭탄을 투척한 해이다.

법정은 1955년 24살 되던 해에 선학원에서 효봉 선사를 은사로 출가했고, 통영 미래사로 내려가 사미 생활을 거쳤다. 이후 지리산 쌍계사와 가야산 해인사, 조계산 송광사 등 선원에서 수선안거 하였다 1972년 첫 저서 '영혼의 모음', 1976년 범우사에서 '무소유'를 출간하는 등 많은 저서를 남겼다.
그의 책을 읽다 보면 위대한 시인 백석이 사랑한 여인 '자야'와의 만남이 나온다. 자야는 대원각을 운영한 기생 출신의 여인이었다. 대원각 땅 7천 평, 당시 시가 1,000억 원이나 되는 땅을 법정에게 맡겼다. 1997년 법정은 그 터에 길상사를 지었다. 자야가 법정의 '무소유'를 읽고 감동하여 시주한 것이다. 그 시인의 그 여자였다.
책이란 참 위대하다. 그는 죽었지만. 그가 죽고 난 후 12년이란 세월이 흐른 후 그의 정신을 책을 통해 만날 수 있었기 때문이다.
'살면서 누구나 꽃이 될 때가 있다. 누군가를 위해 꽃이 될 때는 꽃이 되어주어야 한다. 꽃이 피어 꽃으로 머무는 기간은 짧다. 꽃으로 피어나야 할 때, 조건 없이 피어나 꽃이 되자. 꽃이 되어 다른 사람에게 행복한 향기를 주자.'
책을 읽고 이런 생각이 들었다. 법정은 꽃이었다. 그리고 그 향기는 오래도록 누군가의 가슴에 향기로 남을 것이다.
잘 익어가자.
나이 듦이란 늘 거기 있었지만 미처 눈여겨보지 않았던 것들에 시선을 주어 즐거운 것들을 점점 더 많이 만들어 가는 것이어야겠구나. 그게 잘 익어가는 일이겠구나.

시(詩)-시적인 순간.

마음 열리는 순간이 시적인 순간이다.
아무것도 아닌 채 지나친 것이 문득
의미로 다가오는 통로.

자세히 보면 보일 것이다.
새들이 날아가는 길과
뱀의 몸짓이 트위스트가 되는 순간을
별이 말하는 사연을
먼 이국이 아니라도 일상이 여행이다.

어디로 가야 한다는 강박관념
무엇 때문에 어디로 가는지도 모르고
운전대를 꽉 잡고 시속 100km를 밟으며
오로지 앞만 보고 가는 고속도로.

보고 있으면서도 못 보는 것들
부대끼며 매 순간을 공유해도 느낌 없는 것들
자세히 보면 매 순간이 시적인 순간이 된다.

가지 않아도 손 뻗으면 닿는 거리
지중해가 아니라, 히말라야 꼭대기가 아니라
자세히 보면 일상이 원고지다.

홀로 사는 즐거움–법정

요즘 법정 스님의 '홀로 사는 즐거움'을 읽고 있다. 하루에 조금씩 눈으로 베어 먹는다는 표현이 적절하리라. 하루에 다 읽기는 아까워 조금씩 읽는다. 산중 생활을 하면서 자연과 동물과 곤충과 꽃과 대화하는 삶을 잔잔하게 책으로 엮었다. 오늘 행복에 대한 구절을 읽었는데, 행복은 멀리 있는 것이 아니라 내 안에 있다고 한다. 충분히 공감하는 말이다.

돈에 있지 않고, 명예에 있지 않고, 옷이나 얼굴이나 학력이나 등등에 있지 않다. 행복해지려면 따뜻한 마음을 가져야 한다고 되어있다. 여기서 '따뜻한'이란 말에 주목한다. 마음이 따뜻해지려면 몇 도가 되어야 할까? 이제껏 내 마음이 따뜻해 진 적이 얼마나 되었을까? 젊었을 때는 열정을 가지려고 노력했다. 목표를 이루려면 열정이 있어야 한다. 시도 열정적으로 써야 한다. 그 열정의 온도는 아마도 100도쯤 되지 않았을까? 물이 부글부글 끓는 온도. 그런데 이제 그런 열정보다는 20도쯤 되는 따뜻한 온도를 유지해야겠다고 생각해본다. 살아보니 열정만 가지고 되지는 않더라. 오히려 그 열정이 내 정신을 태워 재만 남게 하더라. 생선을 구울 때 불이 너무 세면 겉만 타고 속은 익지 않는다. 적당한 온도에서 천천히 익혀야 속까지 익는다. 모든 것에는 적당한 온도가 있다. 행복의 온도는 봄날의 양지 정도로 춥지 않을 만큼 온도면 족하다.
행복은 멀리 있는 것이 아니다. 내 안에 있다는 말은 바로 평범한 일상에 행복이 있음을 의미한다.

시(詩)-평범과 특별 사이

"아파트 사이로 떠오르는 해가
그리 멋질 수가 없어요."
아침 남편으로부터 전화가 왔다.
매일 뜨는 평범한 해인데
오늘 해는 왜 다를까?

평범은 특별과 대비된다.
평범이 특별이 되기 위해선
깨달음이 필요하다.

'깨달음' 속에는 깨다가 들어있다.
깨야 느낀다.
느껴야 열린다.
열림은 마음이 눈을 뜨는 일이다.

"아파트 사이로 떠오르는 해가
그리 멋질 수가 없어요."
이것은 마음의 눈이 열려야 볼 수 있다.

멋진 것을 느끼고
전화하고, 받는 것.
나에게로 열린 마음.

평범이 틀별이 되는 순간.
행복은 이런 사소한
깨달음에서 온다.

PART3. 재미있는 이야기 끓이는 주전자의 일상

인문학 카페-이야기 끓이는 주전자
-KBS 울산 TV 인터뷰

'이야기를 끓이는 주전자'는 어떤 곳인가?

이야기 끓이는 주전자는 남구 삼산동에 위치한 '인문학 아카데미 카페' 입니다. 저를 비롯해 커뮤니티 운영자 5명과 함께 일하고 있는 파이팅 넘치는 조직입니다. 저희 이야기 끓이는 주전자는 2016년부터 독서 커뮤니티를 꾸준히 운영해 오고 있습니다. 현재 네이버 카페 가입자가 거의 천 명인데, 회원 대부분이 울산 시민입니다. 또한, 인스타와 페이스북 팔로워도 1,000여 명 정도입니다. 온. 오프라인 모임을 병행하는데, 현재는 코로나로 인한 사회적 거리두기로 약간 소강상태입니다. 하지만 올해 마을기업으로 지정이 되었고, 소강상태인 이때를 더욱 멀리 뛰기 위한 준비 기간으로 삼아 여러 가지 프로그램을 기획하는 등의 대비를 하고 있습니다,

마을기업을 하게 된 계기?

저는 인문학이 책만 읽는 것이 아니라 함께 소통하고 이야기를 나누며 삶에 적용하는 것으로 생각합니다. 울산 시민의 생활 속의 인문학 공간으로 자리 잡아 이야기를 끓이고, 그 이야기를 퍼져나가게 하는 문

화 플랫폼 공간으로 만들기 위해 마을기업을 하게 되었습니다. 우리만의 사업이 아니라 더 많은 시민이 함께 참여하는 소통공간으로 만들기 위해서입니다.

책, 인문학을 아이템으로 잡은 이유? 인문학의 매력?

인문학은 인간의 가치 있는 삶을 추구합니다. 사전을 찾아보면 인문학은 인간의 언어, 문학, 예술, 철학, 역사, 경제 등을 연구하는 학문으로 되어있습니다. 과학은 최신 정보에 의존하는 경향이 크지만, 인문학은 도서관에 의존하는 경향이 큽니다. 그렇기에 책을 인문학의 아이템으로 잡은 것은 필연적이고 자연스러운 것입니다. 요즘 너나없이 바쁜 삶을 살아가다 보니 행복을 원하면서도, 행복으로 가는 길과는 동떨어진 방향으로 가는 사람이 많습니다. 또한, 학생은 공부에만 매달리며, 정작 삶에서 중요한 것이 무엇인지를 배우지 못하고 살아갑니다. '그런 현대인이 행복할 수 있는 길을 찾게 하는 것'이 인문학의 매력이라 할 수 있습니다. 그렇기에 인문학을 통해 모두 함께 가치 있는 삶을 살아가자는 바람이 인문학을 아이템으로 선택한 이유입니다.

어떤 프로그램을 운영하나?

이야기 끓이는 주전자는 각종 스터디 모임과 인문학 강연이 진행되는 문화공간입니다. 구체적으로 말씀드리면 독서 모임으로는 2040 직장인의 경제적 자유를 위한 경제모임과 경제, 경영 서적을 읽고 토론하는 비즈니스 북클럽이 있습니다. 또한 나 자신을 위한 베스트셀러 읽기와 인문 고전을 경영과 마케팅에 활용하기 위한 모임이 있습니다. 글쓰기 모임으로는 '나는 작가다'라는 책 쓰기 모임과 생활이 곧 글이 되는 '생활 글쓰기'를 진행하고 있습니다.
뿐만 아니라 아이의 미래를 위해 인문학을 기반으로 '어린이 인문학'과 학부모를 위한 '어쩌다 학부모'라는 프로그램을 통해 크게 달라진 아이들의 환경에 대한 학부모의 이해와 대처법, 학부모의 역할 등을 토론하는 모임도 진행하고 있습니다.

특히 반응이 좋은 프로그램 있다면?

각 프로그램마다 특색이 있어 선호도는 좋은 편입니다. 그중에 특별한 반응을 보이는 것을 두 가지 정도 말씀드리겠습니다.
첫째는 우리 동네 북마켓입니다.
"당신의 책장에 잠들어있는 책을 깨워주세요!"
라는 슬로건으로 매월 첫째 주 토요일에 진행합니다. 중고 책을 들고 오면 커피값이 무료이며, 기부받은 책을 아주 저렴한 가격에 판매하기에 반응이 아주 좋습니다.
둘째, 울산지역 작가들의 책을 받아 판매를 대행하고 있습니다. 이곳에 오면 울산 작가들이 낸 책을 두루 볼 수 있습니다.
셋째는 '나는 작가다'라는 책쓰기 프로그램입니다. 울산에서 유일한 책쓰기 프로그램인데, 이 프로그램을 지도하는 작가는 누구나 책을 낼 수 있다고 말합니다. 그 말을 뒷받침이나 하듯 시작한 지 얼마 되지 않았지만 벌써 13명이 출간 계약을 하거나 책을 출간하여 작가가 되었습니다. 그리고 이 프로그램이 특별한 것은 자비 출간이 아닌 출판사에서 인세를 받고 출간하는 기획출간이라는 점입니다. 이들은 전부 전문적인 작가가 아니라 글을 써보지 않은 초보자가 대부분이기에 의미가 깊고 반응이 좋습니다.
넷째, 매주 토요일 진행하는 '어린이 인문학 교실'입니다. 공부에 지친 아이들에게 다양한 활동을 함께 함으로 경험과 바른 인성을 길러주기 위해서 실시하고 있는데, 아이들이 아주 재밌어하고 학부모의 반응도 아주 좋습니다.

어떤 사람들이 주로 참여하는지?

인문학은 사람을 대상으로 하기에 참여하는 사람이 10대에서 60대까지 폭이 아주 넓습니다. 계층도 학생과 학부모, 직장인, 작가 등 다양합니다. 프로그램이 다양하기에 자신이 원하는 것을 선택하여 참여할 수 있습니다. 특히 저희는 20~40대에서 독서프로그램의 인지도가 매우 높습니다, 비즈니스 북클럽, 경제모임, 맘스 북클럽 등 직장인과 청년의 모임이 많습니다. 그리고 최근에는 글쓰기 모임으로 인해 그 영역이 60대까지 확대되고 있는 상황입니다.
또한, 자서전 쓰기 프로젝트를 진행하고 있습니다. 어르신은 하나의 도서관입니다. 기록하지 않으면 사라집니다. 어르신의 인생은 그 자체로 하나의 역사입니다. 그것을 스토리텔링 함으로써 울산의 살아있는 역사를 기록할 계획입니다. 그리고 어버이날을 전후하여 자식이 부모에게 자서전을 선물할 수 있는 프로젝트도 진행할 계획입니다.

보람을 느꼈을 때?

모임을 마치고 많은 도움이 되었다는 말을 들었을 때 뿌듯한 느낌이 들었으며, 책쓰기 프로그램을 마치고 출간된 책을 들고 찾아왔을 때 보람을 느낍니다. 또한, 주위로부터 참 의미 있는 일을 하고 있다는 말을 들었을 때입니다.

지금 활동 공간이 카페인데, 카페를 선택한 이유는?

카페 공간으로 운영하는 이유는 인문학 하면 어렵게 생각하시는 분들이 많아 접근성을 높이기 위해서입니다. 지역주민들에게 인문학에 대한 진입장벽을 낮추어서 쉽고 재미있는 독서와 글쓰기 커뮤니티를 운영하기 위해서죠.

앞으로의 꿈

현재 위치한 공간이 남구청 인근에 있어 접근성이 좋아서 지역 내 문화거점 역할을 하는 것과 더불어 울산 작가들이 찾아와 아지트로 삼을 수 있는 공간이 되었으면 좋겠습니다. 남구 문화공원을 이용하여 거리 인문학 행사나 문화예술회관, 문화원, KBS한국방송 등과 연계하여 인문학 거리 문화 공간으로 인문학 콘텐츠를 제공할 수 있다고 생각합니다. 또한 지역 내의 문화사랑방 같은 거점 공간으로, 각종 소규모 행사와 지역 상품 판매 등이 가능한 지역 마켓 역할을 하면 좋겠습니다.
공간을 카페에서 지역으로 확대하여, 여행과 책과 맥주를 접목한 책맥여행이라든지, 와인과 책을 접목한 '와글와글' 모임 등도 기획하여 소통공간으로 활용하고 싶습니다.

생활 속 글 쓰는 시간

언어는 말과 글로 이루어져 있다. 말은 일상에서 늘 사용하지만, 글은 그렇지 못하다. 하지만 요즈음은 글도 말처럼 많이 사용하는 시대이다. SNS 사용이 일반화됨으로 매일 글을 쓰면서 살아간다. 말 잘하는 것이 능력인 것처럼 글 잘 쓰는 것도 능력이다. 어차피 쓰는 글이라면 잘 쓰면 좋지 않을까?

말의 중요성은 누구나 인식하고 있으며 누구나 말을 잘하고 싶어 한다. 그렇지만 글쓰기는 해도 그만 안 해도 그만 정도로 생각하는 사람이 많다. 과연 그럴까? 살아가면서 글을 잘 쓰면 좋은 점이 아주 많다. 어릴 때부터 글쓰기 훈련이 되어있으면, 보고서를 쓸 때나 자기소개서, 논문 등을 쓸 때 그렇지 않은 사람보다 훨씬 더 좋은 점수를 받을 수 있다. 직장에서 기획서를 쓸 때도 유용하며 글을 잘 쓰는 사람은 유능한 직원으로 인정받는다.

말은 내뱉으면 휘발되지만, 글은 기록으로 남는다. 인류의 발전은 기록이 있었기에 가능했다. 말은 생각나는 대로 나오지만 글쓰기는 생각에 생각을 거듭하고 나오기에 말하기보다 논리적이고 체계적이며 실수할 여지가 적다. 사람 관계는 대화가 좌우한다. 생각한 후 의사전달을 하는 것과 생각나는 대로 의사전달 하는 것에는 결과에서, 많은 차이가 있다.

글은 눈에 보이지만 말은 보이지 않는다. 100m 달리기를 할 때 눈을 감고 달리는 것과 눈을 뜨고 달리는 것의 차이와 같다. 생각을 글로 시각화하여 두고 심사숙고하는 것과 머릿속에서 생각만 하는 것과의 차이다. 머릿속에서 생각만 하는 것은 골치만 아프고 스트레스만 쌓인다.

글은 치유 효과도 있다. 어떤 일에 갈등을 겪었거나 상처를 입었을 때는 경황이 없어 객관적인 시각에서 볼 수 없다. 하지만 시간이 지나 글로 써 보면 다른 시각에서 그 상황을 볼 수 있고 의미 부여가 가능하여 갈등은 갈등으로 남지 않고, 상처는 치유가 된다.

글쓰기를 하면 생활이 체계적으로 정리가 된다. 정리된 공간에서 사는 것과 지저분한 공간에서 사는 것과 같은 차이다. 체계적으로 생각 정리가 된다는 것은 향후 행동에도 영향을 미친다. 정리된 생각을 가지고 살아가는 것은 인생 전체로 봤을 때 그렇지 않고 사는 것보다 엄청난 차이가 있다.

누구나 어느 정도 글쓰기의 중요성을 느끼고 있을 것이다. 하지만 글을 쓰려고 하면 무엇을 어떻게 써야 할지 몰라 망설인다. 글쓰기를 배워본 적이 없기 때문이다. 하지만 글쓰기는 의외로 쉽다. 단지 시도하지 않았기에, 방법을 몰라서 하지 않을 뿐이다. 서점에 가면 글쓰기 책이 널려있다. 책 한 권만 제대로 읽어도 글을 쓰는 방법을 터득하게 될 것이다. 글쓰기에 대한 유튜버 동영상 또한 많이 있다. 한 번만 들어도 어느 정도 글 쓰는 방법을 알게 될 것이다.

글쓰기는 어렵지 않다. 단지 처음부터 잘 쓰려고 해서 하지 못하는 것이다. 잘 쓰려 하지 말고 그냥 쓰자. 연필에 힘이 들어가면 연필심이 부러져 글을 쓸 수 없다. 글은 쓰는 것이 아니라 퇴고하는 것이다. 일단 쓰고 난 뒤 퇴고하면서 다듬어 나가는 것이 글쓰기다. 처음부터 명문을 쓰는 것이 아니라 쓰다 보면 명문이 나오는 것이다.
'이야기 꿇이는 주전자'에 '글쓰는 시간'이라는 생활 글쓰기 프로그램이 있다. 글을 쓰고 싶은데 쓰는 방법을 몰라 못 쓰는 사람을 위한 강좌다. 강의 첫 시간에 막쓰기를 하게 한다. 그러면 누구나 몇 줄은 쓴다. 그리고 회원들에게 간단한 글쓰기 방법만 알려주어도 책을 쓸 정도로 글을 잘 쓰게 되는 것을 숱하게 경험했다. 문제는 꾸준하게 쓰느냐 그렇지 않냐 하는 것이다. 꾸준하게 몇 개월만 쓰면 자신이 쓰고 싶은 글을 쓰는 데에는 문제가 없다. 베스트셀러를 보면 꼭 문학 작품만 있는 것이 아니라 자기계발서, 에세이 등이 많다. 문학적인 글은 많은 습작이 필요하겠지만, 그렇지 않은 글은 자신이 의도한 바를 글로 쓸 수 있으면 무리가 없이 쓸 수 있다. 그 시작이 생활을 쓰는 글이다.
글 잘 쓰는 방법을 딱 하나만 말하라면 의자에 엉덩이를 오랫동안 붙여두라는 것이다. 글쓰기는 엉덩이 싸움이다. 인풋의 시간이 아웃풋의 글쓰기가 좌우되는 것이다. 그러려면 글쓰는 시간을 만들어야 한다. 현대인은 모두 바쁘다는 말을 입에 달고 산다. 그렇지만 엄격히 따지면 마음의 여유가 없는 것이지 시간이 없는 것은 아니다. 하루에 30분 정도는 마음만 먹으면 얼마든지 낼 수가 있다. 핸드폰을 쳐다보고 있는 시간만 해도 30분이 넘을 것이며, 텔레비전 보는 시간이나 커피 마시는 시간이나 시간을 내려고 하면 얼마든지 낼 수 있다. 그 30분 동안 글 쓰기를 하며 생활을 정리하면 하루 시간을 훨씬 더 효율적으로 쓸 수 있다. 글은 아무 곳에서나 쓸 수 있지만 가능하면 장소는 정해두고 노트북이나 핸드폰으로 쓰는 것이 효율적이다. 글을 잘 쓰려면 먼저 글을 쓰는 습관부터 길러야 한다. 그러면 나중에는 습관이 글을 쓰게 만들어준다.

무엇을 쓸 것인가? 자신의 생활을 쓰면 된다. 생활 글을 쓰다 보면 독후감을 쓸 수 있게 되고, 기행문을 쓸 수 있게 되며, 칼럼 등 시사에 대한 글까지 쓸 수 있다. 요즈음은 여행을 많이 다닌다. 여행을 다니면서 사진을 찍듯이 글로 써서 남긴다면 여행의 추억은 오랫동안 생생하게 그 기분까지 남게 될 것이며, 그 여행의 의미 또한 깊이 있게 두고두고 느껴질 것이다.

문학적인 글은 별개다. 글쓰기에 자신이 붙으면 시든 소설이든 동화든 문학적인 글도 얼마든지 쓸 수가 있다. 일단 자신의 삶을 쓰자. 기억에 있는 것부터 시간 순서대로, 의식의 흐름대로 막 쓰다 보면 스스로 글쓰기 방법을 체득할 수 있으며, 자신만의 스타일이 생긴다. 그래서 자신의 삶을 쓰는 생활 글쓰기가 중요하며, 글쓰기의 가장 기초가 된다. 그리고 자신이 쓰는 글이기에 자신이 쓰고 싶은 대로 쓰면 된다. 분량과 문법에 치우치지 않아도 된다. 쓰다 보면 그런 것들은 자연스럽게 익히게 되는 것이다. 자신이 최근에 겪은 일을 시간 순서대로 나열하고 의미부여 하는 글을 써 보면 글쓰기가 어렵지만은 않다는 것을 알게 될 것이다.

문법을 알아야 글을 쓸 수 있는 것은 아니다. 서점에 가면 수많은 책이 꽂혀 있다. 그 많은 책을 쓴 수많은 저자들이 전부 문법을 알고 썼을까? 아니다. 좋은 글은 문법에 맞는 글이기보다는 좋은 내용의 글이다. 문법은 아래아한글이나 워드 등 컴퓨터에 맡기면 90% 이상 걸러준다. 인터넷에 맞춤법 검사기를 검색하면 수많은 맞춤법 검사기가 나온다. 그것을 활용해도 문법에 맞는 글을 쓸 수 있다. 또한, 글을 쓸 때 필요한 몇 가지의 문법(10가지 이내)만 알더라도 글을 쓰는 데 전혀 지장이 없다. 그리고 책을 낼 때는 전문가의 도움을 받으면 문법 때문에 글을 쓸 수 없다는 말은 핑계에 불과하다는 것을 알게 될 것이다.

글을 써 보면 의외로 재미가 있다. 글 쓰는 재미에 빠지면 독서나 다른 취미 못지않게 의미도 있고 재미도 있다.

'이야기 꿇이는 주전자'의 글쓰기 프로그램을 통해 책을 출간하는 저자도 생겼다. 책을 쓴다고 하면 거창하게 생각하는 경우가 많다. 하지만 지금은 책을 낼 의지만 있으면 누구나 책을 낼 수 있다. 심하게는 '1인 1책'이라는 말도 유행하는 시대이다. 그만큼 책을 내기 쉽고 누구나 글을 잘 쓸 수 있는 시대가 되었다.

하루에 A4 반장부터 쓰기 시작해보자. 그리고 분량을 점점 늘려 나가보자. 그러면 어느새 글 쓰는 것에 재미를 느끼고 있는 자신을 발견하게 될 것이다.

'나는 작가다' 책쓰기 컨설팅 (작가들이 끓이는 삶의 이야기)

인문학 카페 이야기 끓이는 주전자는 인문학을 추구한다. 그러다 보니 인문학적인 일들이 많이 생긴다. 카페 이름답게 이야기가 재미있게 끓고 있는 곳이다.

이야기 끓이는 주전자에서 진행하는 책 쓰기 프로그램인 '나는 작가다'를 통해 책을 낸 이형진 작가가 자신의 책 '홈인'을 들고 카페를 찾아왔다. 자신의 인생을 담은 책이다. 이형진 작가는 20대에 집을 나와 40여 군데의 직장을 떠돌다 집으로 돌아왔다. 그러한 과정을 '홈인'이라는 제목으로 책을 써서 출간했다. 홈인은 야구 용어이기도 하지만, 집으로 돌아온다는 의미도 지닌다. 작년 11월에 책을 쓰기 시작하여, 이번에 책이 나오게 된 것이다. 그에게서 사인을 한 책을 선물로 받았다. 이런 때 큰 보람을 느낀다.

그날 카페 유리벽 밖에는 비가 줄줄이 내렸고, 주전자 안에서는 이야기가 모락모락 끓었다. 말 그대로 카페는 '이야기 끓이는 주전자'가 된 것이다. 둘은 아주 정답게 이야기를 나누었다.

그런데 우리의 모습을 지켜보던 옆 좌석에 앉은 부부로 보이는 두 남녀가 우리에게 말을 걸어왔다.

"이곳에는 책이 아주 많네요?"

"예, 여기는 인문학 카페입니다."

"아, 저도 책을 내었는데요."

"그러세요. 이곳에서 책 쓰기 강의도 하고 있습니다. 이곳에서 책 쓰기를 수강하고 많은 작가가 책을 내었지요. 작가님은 어떤 책을 내었나요?"
"'생각뿐인 나를 넘어서라'는 책인데요. 제가 주식을 해서 성공을 거둔 과정을 책으로 썼어요. 저는 100만 원으로 년 100억의 매출을 이룬 CEO였는데, 35살에 경제적 독립을 이루었어요. 그리고 지금 40여 개 나라에 여행을 다녀왔어요. 지금은 코로나로 인해 집에 있습니다. 울산 현대 공고를 나왔지요."
"와, 대단하시네요. 최근에 이곳의 책 쓰기 프로그램인 '나는 작가다'를 수강하고 책을 내어 베스트셀러가 된 홍지윤이라는 작가가 있습니다. 3만부 이상이 팔렸으며 지금도 스테디 셀러입니다. 또한 두 번째 책도 준비중이라고 합니다."

그러면서 홍지윤 작가가 쓴 '생애 처음 비트코인'이라는 책을 보여주었다.
"이 책이 여기서 수강한 작가가 쓴 책이라고요?"
"예, 그렇습니다."
옆에서 가만히 듣고 있던 작가의 아내가
"이 책 사고 싶어요. 혹시 사인받을 수 있을까요?"
"아!, 예, 전화를 한번 해볼게요."

홍지윤 작가에게 전화하자 마침 카페 부근에 있는데, 이곳으로 올 수 있다고 했다. 그리고 잠시 후 홍지윤 작가가 도착했다. 서로 인사를 나눈 후 두 투자 대가 작가들의 대화가 이어졌다. 전문 용어들이 비행기 폭탄처럼 쏟아졌고, 옆에 앉은 나로서는 무슨 말인지 도통 알아듣기가 힘들었다.

창 밖에는 비가 내리고 카페 안에는 작가들이 이야기를 끓이는 분위기는 고즈넉한 한 폭의 그림이라는 생각이 들었다.

이야기 끓이는 주전자에는 많은 작가가 찾아온다. 그리고 그들이 우연히 혹은 약속을 하고 만나 이야기를 끓여나간다.
울산 작가들이 책이 나오면 이곳으로 보내오기도 하고, 울산 이외의 전국에 있는 출판사에서 신간이 나오면 보내오기도 한다. 그 책들을 카페에 전시도 하고 일반인에게 판매도 한다. 그리고 커피를 마시러 오는 손님도 책을 들고 읽기도 한다.

미술사로 보는 미학여행

이야기 끓이는 주전자에서 진행하는 책 쓰기 프로그램인 '나는 작가다'를 수강하고 '나는 왜 불안한가' 라는 미술과 철학을 연결하여 책을 낸 주응식 작가와 내가 기획한 수업으로 서양미술사와 현대미술 작가 연구를 해 보는 수업이다.〈미술사로 보는 미학 여행〉은 매주 목요일

저녁 7시 2달(8주 과정)으로 진행했는데 18명 정도가 수강했다. 미술에 대한 초보자가 대부분이었는데, 반응은 아주 좋았다. 1시간은 주응식 작가가 전체 흐름을 파악할 수 있는 서양 미술사 진행을 했고, 1시간은 내가 사회자가 되어 현대미술 작가 8명을 선정하여 소개하고 참석자와 함께 그림에 관해 이야기하는 시간을 가졌다. 그중 몇 가지를 다루어보기로 한다.

-그림자와 빛 그리고 에곤 실레

두 번째 시간 주제는 '중세의 찬란한 빛의 예술'과 현대 화가 '에곤 실레'에 관한 이야기다. 7시 30분에 시작한 강의는 9시 무렵 끝이 났다.
에곤 실레의 아버지는 매독으로 고통 받으며 정신 착란 증세를 보이다 에곤 실레가 15살 때 돌아가셨다. 어머니와도 사이가 좋지 않던 에곤 실레는 여동생 게르트루다에 대한 집착을 보이며 실제로 여동생을 누드모델로 많은 작품을 남겼고, 근친상간 혐의에서 자유롭지 못했다.
에곤 실레의 그림은 그림자를 먼저 본 뒤, 그 안에서 빛을 볼 수가 있다. 그림자가 있으면 항상 빛이 있어야 하듯이 빛이 있기에 항상 그림자가 공존한다.
중세 미술에서 빛의 상징이 신에 관한 이야기였다면, 현대를 사는 우리에게는 빛의 상징은 삶의 그림자를 두려워하지 말라는 메시지가 아닐까? 하는 생각을 했다. 삶의 그림자 덕분에 빛이 더 밝아질 수 있다는 것을 내 삶을 통해 경험하고 있기도 하다.

"태초에 빛이 있었다"라는 성경의 이야기는 18세기에 와서야 그 빛의 정체가 물리학을 통해 밝혀진다. 빛은 중첩(간섭)현상이라는 기묘한 현상을 보여준다. 우리가 매일 보는 빛에는 입자와 파동이라는 두 가지 성질이 공존한다. 누군가 빛을 관찰하려 간섭하면 빛은 입자가 되며 그렇지 않으면 파동으로 존재한다.
에곤 실레의 그림을 대하면서 그림에도 물리학에서 발견한 이중적 현상이 있다는 것을 느꼈다. 내가 판단(간섭)하기 전에 그림은 단지 파동으로 존재하는 것 같다. 개인적 경험이 그 그림에 들어가는 순간 그림은 입자가 되어 의미는 달라지는 것 같다. 그러하기에 세상에는 수많은 그림과 화가들이 존재하고 그 그림을 보는 우리 각자의 느낌은 같으면서도 또 다른 것 같다.

-프리다 칼로, 삶의 조율

"모든 피조물은 때때로 자신에게 자신의 운명을 감수할 내면의 힘이 있을까 하는 의혹에 부딪히게 되는 법이다." -『아름다운 비행』 중에서-

프리다 칼로는 6살에 소아마비를 앓아 오른쪽 다리를 절게 되었고, 18살에 끔찍한 교통사고를 당해 장애인으로 살았다. 그리고 특강을 듣는 중에 장애를 떠올렸다.
'독일어로 프리다라는 이름은 평화를 뜻하지만, 죽기 전까지 29년간 30회 이상의 수술과 신체 절단, 남편의 외도, 자살 시도와 수 차례의 유산을 경험한 프리다 칼로는 55점의 자화상을 포함해 143점의 작품을 남겼다.'

18살에 일어난 교통사고로 삶이 송두리째 변한 프리다 칼로의 원래 꿈은 의사였다. 결국, 그녀는 사고로 의사라는 꿈은 이루지 못했다.
온몸을 관통한 쇠창살 11개로 인해 척추와 오른쪽 다리 그리고 자궁을 심하게 다친 프리다 칼로는 누워서 침대 지붕에 붙은 전신 거울로 끊임없이 자신을 관찰하며 자신의 모습을 그리기 시작한다.

"나는 너무나 자주 혼자이기에, 또 내가 가장 잘 아는 주제이기에 나를 그린다."

라는 프리다 칼로의 말처럼 그녀는 수많은 자화상을 그렸다. 프리다 칼로의 자화상들을 연대순으로 나열하면 그녀의 극적인 인생이 작품으로 전개된다. 수많은 화가가 그림을 통해 자신을 치유했다. 고흐가 그림을 통해 자신의 이야기를 하고 삶을 이끌어갔다면 프리다 칼로는 병실의 환자로, 외도하는 남편의 아내로, 자식을 품지 못한 어머니로서의 고통을 그림에 담으며 삶의 의지와 함께 '화가 프리다 칼로'의 인생을 선택했다.
미술치료에 프리다 칼로의 그림이 많이 쓰이고 있다는 것과 그 이유를 알게 되었다. 그림으로 표현된 그녀의 삶 전체가 누군가를 치료하고 치유할 수 있다고 생각하니, 그녀가 사람을 치료하는 의사가 되었다는 생각이 들었다.

"유난히 눈길이 가는 그림이 있다면, 당신이 그 그림과 닮았기 때문이다."라는 유명한 이야기가 있다. 정상인(?)이라고 생각하는 우리에게 '장애'를 극복한 프리다 칼로의 그림과 삶의 메시지는 우리가 인간적 경험을 하는 영적인 존재라는 것을 다시금 일깨워 주는 '촉매'처럼 다가왔다.
프리다 칼로의 장애는 어쩌면 우리 인류에게 있어 장애는 '사랑을 향해 함께 자라며 성장하라는 신이 던져주는 조율의 메시지는 아닐까?' 하는 조심스러운 생각이 들었다.

-죽음(삶)의 예술가 데미안 허스트

죽음과 부패를 표현한 포름알데히드 작품을 통해 미술과 과학, 대중문화의 전통적인 경계에 도전하는 데미안 허스트는 영국의 국민 작가라 일컬어진다.
1990년 '천년'이란 작품에서, 데미안 허스트는 한쪽에는 죽은 소의 머리, 다른 한쪽에는 파리들을 넣어 놓는다. 이렇게 나누어진 상자 사이의 작은 구멍을 통해 파리들은 자연스럽게 소의 머리 쪽으로 이동한다. 밀폐된 공간에서 소의 머리 쪽으로 이동하는 파리들, 그런데 죽은 소의 머리 위에는 전기에 의해 파리가 감전되어 죽도록 만드는 장치가 있어 대부분 파리가 죽임을 당하게 된다. 결국, 시간이 지나면서 소의 머리는 썩어가고 파리는 소의 머리에 알(구더기)을 낳고 파리의 사체는 바닥에 널브러지게 된다. 알에서는 다시 파리가 태어난다. 데미안 허스트는 이 작품을 통해 오랜 세월 동안 예술이 거듭 던져온 화두를 적나라하게 표현한다. '삶과 죽음', '탄생과 부패'라는 뫼비우스의 띠 같은 주제(물음)를 던진다.

데미안 허스트의 또 다른 작품 '살아있는 자의 마음속에 있는 죽음의 육체적 불가능성(1991)'이란 작품에는 유리 상자 안에 포름알데히드 용액에 절인 채 떠 있는 4.3m 길이의 타이거 상어가 온전히 담겨 있다. 잡아먹힐 수도 있다는 생각이 드는 엄청나게 큰 상어가 입을 벌리고 있음으로 그것을 실제로 보는 사람들이 자연스럽게 죽음이라는 이미지가 연상되도록 공포감을 조성한다.

역시 소 한 마리를 정확히 반을 갈라 두 개로 나뉜 수조에 넣고 그사이를 관객이 지나가게 만드는 작품, 반으로 갈라진 어미 소와 송아지를 진열한 '분리된 엄마와 아이'란 작품을 통해 죽음에 관한 경계를 보여줌으로써 살아있음의 의미를 일깨워준다.

이런 작품들은 수많은 동물 애호가들로부터 비난을 받지만, 나는 그의 작품을 보며 우리 시대의 의식 수준에 맞는 작품이라는 자조적인 웃음이 나왔다. 역시나 수천 마리의 살아있는 나비를 희생해서 만든 작품은 너무나도 아름답지만, 그 아름다움 뒤의 자연 파괴는 나에게 많은 울림을 주었다.

우리동네 북 마켓

매달 마지막주 토요일 10시가 되면 우리 이야기 끓이는 주전자 식구들은 바쁘게 움직인다. 한달에 한번 중고책 북마켓이 열리기 때문이다. 사람들은 이곳을 지나다니며 이야기한다. "와~~~ 여긴 정말 책이 많이 있네요" 다.
그렇다. 우리 카페는 다른 카페와는 달리 인문학 아카데미이다. 사실 카페는 형식적인 것이고 인문학을 기반으로 하는 문화컨텐츠 산업을 한다고 하는 것이 더 맞는 말일 것이다.
상주하고 계시는 작가님과 책쓰기 컨설팅 사업을 주력으로 하고 있고 많은 독서모임이나 인문학 기반으로 하고 있는 커뮤티니가 이루어지고 문화강좌가 열리는 것이 이곳의 컨셉이다. 이런 문화의 핵심은 책에 있다고 판단한 우리들은 이곳을 책이 머무는 곳, 책이 있는곳, 책으로 나눔을 가질수 있는 공간으로 만들고 싶었다. 그런데 책이 제법 있었음에도 불구하고 전에 있었던 사무실에서 제법 큰 매장으로 옮기니 책이 터무니 없이 부족했다. 그래서 사무실에서 북카페로 옮기고 나서 가장 먼저 했던 일이 책 모으는 일이였다. 책은 우리의 주된 사업이며 최고의 인테리어적 효과를 발휘하기 위함이기도 했다. 아무리 우리 멤버들이 집에서 책을 가져 왔지만 터무니 없이 부족했다. 책을 살려니 책값도 만만치 않았다. 우리는 곧바로 책을 어떻게 공수할 것인가에 대한 아이디어 회의를 했고 마침내 '우리동네 북마켓'을 열기로 했다. '당신의 잠든 책을 깨워주세요'라는 슬로건을 내세워 회원들이 집에 있는 헌책을 가져오면 우리는 커피 한 장을 공짜로 내어주는 시스템이다. 그렇게 회수 된 책은 한달에 한번 진행되는 북마켓에서 적당한 가격으로 다시 중고가격으로 되파는 형식이다. 이것이 '잠든 책을 깨워주세요'의 책 리사이클링 운동이 된 것이다.

많은 분들이 참여해 주셨고 반응도 좋았다. 예전에 추억의 동네에 니어커를 들고 다니며 큰 가위소리를 쩍쩍 내며 동네를 돌아 다니면 집에 있는 물품을 가지고 나와 엿으로 물건을 바꿔 먹는 옛 추억의 물물교환 형태이다. 그렇게 많은 책들도 들어오기도 했고 많이 팔리기도 했다.

이 업사이클링 방법과 책을 많이 기부 받은 일이 있었는데 천여군대가 넘는 출판사에서 책을 받았다. 매우 간단한 방법이였는데 전국의 출판사에 이메일을 보낸 것이다. 우리 회사를 소개하고 내가 책 소개하는 방송분량을 보내어 좋은 책이 있으면 검토하여 방송 및 매장에 진열한다는 내용이다. 전국의 출판사에서 책을 몇 백권을 받게 되었다. 그것도 새 책으로 말이다. 그래서 나는 협찬 받은 책을 선정하고 나는 라디오 방송으로 책을 소개했고 우리 회원들의 유튜브나 블로그를 책을 통해 책을 소개하며 활동했다. 그 외 의뢰받은 책들은 우리 매장에 디스플레이 되어 많은 시민들과 회원과 매장에 온 커피손님들이 읽을 수 있는 기회가 되기도 했다. 이 우리 동네 북 마켓은 한 달에 한번이 아니라 상시 운영되고 있다. 평일에도 커피 손님들이 책을 가지고 오면 무료로 커피한잔 내어드리며 많은 회원들과 매장 손님들이 커피와 함께 책을 읽고 머무르다 가는 공간으로 준비되어 있다.

기적의 시간 '미라클 모닝'

앞 1부에 라디오방송으로 소개된 김유진 변호사의 '나의 하루는 새벽 4시30분에 시작된다'라는 책을 읽고 감동 받아 아마존 베스트 셀러 1위인 '미라클 모닝' 책을 사서 바로 읽었다. 그리고 하루를 바꾸는 기적 6분에 새벽기상에 도전한 적이 있다. 그땐 책을 읽고 집에서 2주 정도 진행했었지만 번번히 실패했다. 알람을 해 놓고 일어나는 것은 성공을 했지만 한 두시간 집에서 책을 읽거나 공부를 하면 스르르 침대로 돌아가 눕거나 쇼파에 쓰러져 다시 잠들기 일수였다. 그렇게 1년이 지나 '똑똑한 여자는 결혼을 한다'라는 첫 번째 나의 에세이 집을 계약하고 나의 두 번째 책을 기획하고 쓰기 위해 계획을 잡을 쯔음이였다. 나는 '나는 작가다' 글쓰기 회원들과 함께 다음 책을 쓰기 위해 합류했다. 그런데 처음 다음 책의 컨셉과 목차정리를 하고 설레는 마음으로 글을 한꼭지씩 쓰려고 했지만 도저히 시간이 나질 않아 분량이 채워지질 않았다.

낮 시간엔 카페에서 일을 해야하고 오후엔 학원에서 수업을 진행하고 저녁엔 카페에서 여러 프로그램들을 진행해야하니 글을 쓸 시간 자체가 나질 않았다.

"미향샘, 어제도 원고 안보내셨던데요?"

일주일에 두 꼭지씩 써서 보내기로 했지만 몇 일째 계속 미루는 나를 걱정스러운 눈빛으로 말씀하셨다.

"미향샘, 전에 써 봐서 알겠지만 책쓰기는 미루면 안됩니다. 시간이 나서 글을 쓰는 것이 아니라 시간을 내야 글이 써 져요. 새벽에라도 나와서 글을 써보세요"

우리 작가 선생님의 말씀이셨다.

그래서 시작된 것이 기적의 미라 클모닝이였다. 작년엔 실패했지만 평일엔 여러 가지 일로 시간이 나지 않아 남은 것은 새벽이나 일과를 마치고 난 저녁 아니 밤시간 밖에 없었다.

실패의 경험을 바탕으로 이번엔 작전을 바꿔 보았다. 집이 아닌 내가 일하는 장소인 카페에 가서 글쓰기를 진행하는 것이다. 아직 아이가 어려 새벽에 나가는 것이 어려웠지만 시어머니찬스를 써서 나는 새벽 4시 반이 되면 카페로 나가 글쓰기를 시작하였다.

이것이 가능한 것은 나와 함께 일하고 있는 윤창영 작가님이 계셨기 때문이다. 작가님은 카페를 오픈하고 항상 새벽 4시가 되면 카페에 나와 글을 쓰시고 계셨다. 새벽에 글을 쓰면 집중이 잘 되어 아무에게도 방해받지 않는 새벽시간 예찬론자이시다. 이번 '나는 작가다' 글쓰기 팀들이 시간이 없다고 원고분량이 잘 안나오니 적극적으로 새벽에 나와 글을 써라는 극약처방이 떨어졌다. 처음엔 어떨결에 그러겠다고 했지만 새벽에 나온다는 결심은 쉬운 결정이 아니였다. 같이 글쓰기를 하는 회원님은 새벽기도 나오는 기분으로 나오겠다고 하셨고 나또한 이번엔 꼭 실천하리라는 마음으로 새벽 4시에 알람을 맞춰놓았다.

그렇게 일주일이 지났다. 그 일주일은 나의 인생에서 가장 보람된 시간이라 해도 과언이 아닐 정도인 미라클 모닝이 일어났다. 여기서 미라클은 '기적'이라는 단어인데 이 새벽시간의 활용은 나에게 엄청난 시간적 여유와 집중력을 부여해 주어 하루를 두 번 사는 듯한 느낌을 들게 했다. 새벽에 카페에 와 오늘 하루 해야할 일을 리스트 업 하여 계획을 짜고 꼭 해야하는 중요한 일을 순서대로 진행하였다. 평소 일을 하면 전화받거나 다른 손님들이 찾아와 일에 방해 받는 경우가 많은데 새벽시간은 그 누구에게도 방해받지 않고 집중할 수 있어 좋았다.

이렇게 새벽에 중요한 일을 대부분 해 놓으니 마음 편하게 오후에 놀면서 일할 수 있었다.

이런 나의 새벽의 기쁨은 창영작가님의 간식도 영향을 주었다. 창영작가님은 새벽 4시에 카페에 오셔서 글을 쓰시고 새벽 6시 반쯤 되면 역전시장에서 콩나물을 파시는 어머니를 모셔다 드리러 잠시 나가신다. 현역나이로 98살이신데 직접 기른 콩나물 기르시고 파는 일을 하신다. 그 시장에서 가장 나이가 많으시고 오래 일하신 분이 아니실까 생각된다. 그렇게 아들이 콩나물을 시장에 실어서 내려 놓으면 오전에 콩나물을 파시고 빈통은 가벼우니 혼자 들고 집에 들어가신다고 한다. 그 연세에 일을 하시는 것도 대단하지만 경제활동을 하신다는 것이 더욱 놀라운 일이다. 그렇게 새벽마다 콩나물을 실어다 주는 아들이 고마워 매일 만원씩 용돈을 받는다고 하셨다. 그 돈으로 작가님은 커피도 사 마시고 담배도 사피우곤 하신다.

그렇게 작가님의 회원들이 새벽에 글쓰겠다고 카페로 나오니 시장에 간 김에 오뎅도 사와서 주시고 김밥, 호떡, 떡볶기, 순대, 단팥죽, 등등 시장에 파는 것을 매일 조금씩 사와 우리에게 간식으로 주신다. 아무리 돈을 걷어서 준다고 해도 본인의 즐거움이라며 우리를 자식 먹이듯 시장에 다녀오실 때 간식거리를 사와 먹이신다.

이렇게 시작된 미라클 모닝의 회원은 2명이였다. 나는 적극적으로 회원모집을 더 해서 이런 새벽시간의 기적을 널리 알리고 싶었다.

'당신을 바꾸는 기적, 기적의 아침을 경험하라!'

엑스베너도 만들어 카페앞에 세워놓고 홍보했다.
"새벽에 할 수 있는 일은 너무도 많습니다. 지금보다 조금 더 나아진 삶을 살아갈 수 있는 큰 원동력이 될 것입니다." 라는 글과 이미지를 넣어 인스타와 블로그 홍보도 진행하였다. 그렇게 해서 한두명 더 들어오게 되었고 현재 6명의 회원들이 새벽에 이야기 끓이는 주전자에 와서 시간을 보내고 간다.
미라클 모닝 회원은 보증금 5만원을 내고 결석하면 하루 2천원씩 차감된다. 그리고 커피한잔을 내어드리고 한달에 일정 돈을 받고 자유롭게 이용할수 있다.
카페에 오면 각자 하는 것도 다르고 오는 시간도 다르다. 영어 공부하는 사람도 있고 나처럼 글을 쓰는 사람도 있고 책을 읽는 사람도 있다. 각자의 자리에서 묵묵히 자신을 일을 집중하다. 간혹 창영작가님이 맛있는 간식을 사오면 맛있게 먹으며 이야기 꽃을 피운다.
이 책 제목처럼 이야기 끓어 먹는 시간이다.
다들 잠들어 있는 시간, 이렇게 깨어 있을 수 있고, 함께 나눌 수 있는 공간이 있고, 각자의 자리에서 각자 집중할 수 있는 무엇인가가 있다는 것이 참 감사한 일이다.

어스름한 깜깜한 새벽에 환희 불이 켜져 있는 카페.
이야기 끓이는 주전자 새벽 4시 반이다.

그곳에 모이는 다양한 사람들.

그들은 대단한 것을 하러 오는 것이 아니다. 대단한 것을 하고 있는 것도 아니다.

그냥 새벽이 좋아서 오지만 그들 안에서 기적적인 일들이 일어나고 있을 것이다.

주전자 시 낭독회

매년 10월 31일이 되면 '시(詩) 월(月)의 마지막 밤'이라는 시 낭독회 행사를 하기도 했다. 많은 작가와 일반인이 모여 가을밤 시를 낭송하고 술도 한잔하는 시간이다. 그야말로 작가와 독자가 만나 자연스러운 소통의 공간이 된다. 코로나에도 불구하고 3년간 진행되었는데 반응이 아주 좋았다.

그런 곳에 내가 있다는 것, 그런 분위기를 즐긴다는 것은 분명 아주 재미있는 일이다. 그 모임에 도움을 준 사람이 많이 있지만, 특히 기억에 남는 사람이 김윤삼 시인이다. 그는 낭독회에 필요한 준비물을 몸소 가져와 준비해주었다. 두 권의 시집을 낸 실력파 시인으로 시 낭독회뿐만 아니라, 이야기 끓이는 주전자 커뮤니티에 많이 참여하였다. 이 자리를 빌려 감사의 인사를 전한다.

매회 참여하는 사람도 있었고 새롭게 참여하는 사람도 있었다. 한번은 낙엽을 구해 카페 바닥에 모두 깔았다. 가을의 정취를 물씬 풍겼고 사람들은 너무 신기해했으며, 즐거워했다.

시 낭독회는 참여한 사람이 각자 좋아하는 시를 읽는 것이다. 많은 사람이 참여하였지만, 특히 김민서 시낭송가가 낭송한 "목마와 숙녀"는 많은 사랑을 받았다.

미처 시를 준비해오지 못한 사람을 위해 많은 시집을 준비해 두었으며, 한국인의 애송시를 프린트하여 준비해 두기도 했다. 조지훈의 '사모', 이형기의 '낙화', 조병화의 '이렇게 될 줄을 알면서도', 정공채의 '선생님 비에 젖읍시다', 김소월의 '초혼', 박인환의 '목마와 숙녀', 김춘수의 '꽃' 등이 기억에 남는 시다.

앞에 나가 시를 낭독하는 것이 처음이라 머뭇거리기도 했지만, 시를 읽기 시작하는 순간 시심에 풍덩 빠지는 사람을 많이 보았다.

시가 메말라가는 시대다. 1년에 시 한 편 읽지 않는 사람도 많다. 시는 감성의 영역이다. 이성만으로 세상을 산다면 너무 메마른 사회가 되어버린다. 감성과 이성이 어느 정도 균형을 맞출 때 사람은 행복감을 느낀다.

시를 읽는 동안은 사람의 마음은 시심으로 순수해진다. 그런데 현대시는 너무 어려워 사람들이 멀리한다. 시를 잃어버린 시대다. 그런 시대에서 술을 한잔하며 시를 이야기한다는 것은 너무나 멋진 일이었다.

철학은 처음이지?

철학이 우리의 삶에서 왜 필요한가. 매 순간 목표를 가지고 쉴 새 없이 달려온 나이지만 '열심히'라는 단어 아래 그 욕망엔 끝이 없다는 사실을 알아버렸다. 그러했기에 내 마음 불안과 우울, 두려움으로 가득했다. 매일매일 최선을 다해 살아가지만, 열심히 살면 살수록 너무나 쉽게 그 욕망의 덫에 걸려들었다.

위기가 찾아왔음을 직감하는 순간, 아무리 버둥거려도 그 끝이 보이지 않고 걸어도 걸어도 제자리걸음인 것 같았다. 길을 잃은 사람에겐 나침판이 필요하다. 그간 힘들 때마다 서점에 가 왠지 끌리는 제목의 책을 집어 들고 읽으며 마음을 다잡곤 했다. 수없이 많은 책이 나에게 위로를 주었고 갈 길 잃은 나에게 방향이 되어주었다. 책은 항상 나에게 나침판이 되어 삶의 방향을 인도해 준 셈이다.

기분전환 삼아 책을 둘러보던 어느 날, 철학책 앞에서 걸음이 멈춰졌다. 그날따라 철학책 앞에서 왠지 모를 두근거림이 느껴졌다. 새로운 호기심 같은 것이 평소 불안하고 지쳐있던 나의 마음을 끌어당기는 듯한 느낌이 들게 했다.

'그래, 끝이 없는 욕망의 끝에서 불안과 두려움에 우울해하느니 인류의 사유를 쫓아 사유해 보는 것이 어떨까?' 라고 생각해보았다. 철학이란 게 무엇이건대 인생 마지막 순간엔 철학적 사유를 하라는 말을 그

토록 많은 학자가 힘주어 말했던가.

인터넷을 뒤적여 쉬운 철학책을 골라 몇 권을 사고 집으로 돌아와 책을 읽기 시작했다. 그때 읽은 책이 강신주의 "철학 개론서", 이진경의 "철학과 굴뚝 청소부", 요슈타인 가아더의 "소피의 세계" 정도였다. 낯선 철학 용어와 철학자들로 반은 이해하고 반은 모른 채로 몇 권의 책을 읽어나갔다.

조금씩 책을 읽어가며 나를 괴롭혔던 상념의 정체가 다른 방식으로 드러난다는 것을 알게 되었고 삶에 매몰되었던 삶 내부의 바깥, 즉 외부로 눈을 돌리지 못했던 이유를 책을 통해 알게 되었다. 나는 욕망의 안에 갇혀 있었던 우물 안의 개구리였던 셈이다.

혼자 하기 어려운 공부이기에 팀을 꾸려 공부해 보기로 했다. 내가 운영하는 이야기 끓이는 주전자엔 책 읽기를 좋아하는 회원들이 많다. 다행히 철학 공부를 오랫동안 해온 선생님도 계셨고 나와 같이 철학을 공부하고 싶지만, 엄두를 내지 못하고 있는 회원들이 제법 있었다.

곧장 '철학은 처음이지?'란 제목으로 철학 커뮤니티를 결성하고 회원을 모집했다. 다행히 5명~10명 정도의 사람이 스터디에 합류했고 우리는 목차에 따라 시대별 철학자로 발제하며 공부해 나갔다.

철학자별로 추구하는 이론은 다르지만 그들의 중심엔 이 세 가지의 화두가 가장 중요했다.

첫째, 나는 누구인가?
둘째, 나는 이 세계를 어떻게 인식하는가?
셋째, 나는 어떻게 살 것인가?

내가 공부한 철학자들은 각자의 사상으로 나에게 새로운 세계관과 큰 위로를 주었다. 성장과 위기, 발전, 경쟁이라는 키워드로 뒤덮인 우리가 얼마나 실존적으로 압박받고 사는지를 알게 되었고 자유로워야 할 실존적 자아가 이런 키워드 아래 갈 길을 잃고 불안과 우울, 두려움으로 어리석게 살아가고 있음을 알게 되었다.

철학은 어디에 도움이 되는가? 라고 묻는 사람들이 많다. '자유로운 인간의 모습을 만드는 것, 권력을 안정시키기 위해 신화와 영혼의 동요를 필요로 하는 모든 자를 고발 하는 것, 그저 그뿐이라고 해도, 대체 다른 무엇이 그것에 관심을 갖는다는 말인가?' 프랑스 철학자 들뢰즈가 내린 철학적 정의를 생각하며 다음 배울 또 다른 철학자를 생각하며 위로하고 회원들을 위한 철학 모임을 준비해 본다.

마치는 글

울산을 흔히 인문학 불모지라 이야기한다. 광역시임에도 불구하고 문화 인프라가 많이 부족하다. 특히 공업도시라는 특성이 강하니 상대적으로 인문학은 열악하다.

흔히 울산을 돈 벌기 좋은 도시라 말한다. 인생을 살아가는 목적이 돈을 벌기 위함만이 아니다. 돈을 버는 것도 잘 살기 위해서가 아닌가? 잘 살려면 물질적인 것의 충족도 필요하겠지만, 물질 못지 않게 정신적인 충족도 필요하다. 정신적인 충족을 할 수 있게 하는 것이 인문학이다.

인문학 불모지인 울산에 인문학 영토를 만들어야겠다는 몇 사람들이 의기투합했다. 그리고 2020년 울산광역시 남구청 뒤쪽에 '이야기끓이는주전자'라는 마을기업을 설립했다. 카페 형식이었는데, 많은 커뮤니티 활동이 있었으며, 많은 사람이 참여했다. 본문의 내용처럼 많은 이야기가 끓여졌다. 4년이 지난 2024년 3월까지 운영하다가 다른 곳으로 이전했다. 카페형식에서 일반 인문학 커뮤니티 형태로 변경하여 운영한다.

그리고 마을기업 형식의 법인이었는데, 이제는 법인이 아닌 개인 운영 방식으로 바뀌었다. 아쉬움이 남지만, 새로운 시작이라는 것에 의미를 둔다.

지난 4년간 많은 일이 있었고 그것을 정리하기 위해 이 책을 썼다. 이 책이 커뮤니티 회원에게도 의미가 있겠지만, 인문학을 좋아하는 사람들에게도 의미가 있으리라.

2024년 5월